DÉBORA GAROFALO

MAKERS SALVANDO O PLANETA

SOS pelo meio ambiente

ENSINO FUNDAMENTAL
ANOS FINAIS

Ciranda Cultural

Dados Internacionais de Catalogação na Publicação (CIP) de acordo com ISBD

G237m Garofalo, Débora.

Makers salvando o planeta: SOS pelo meio ambiente / Débora Garofalo ; ilustrado por Simone Ziasch ; Shutterstock. - Jandira, SP : Ciranda Cultural, 2024.
64 p. : il.; 20,10cm x 26,80cm. - (Universo maker).

ISBN: 978-65-261-1303-5

1. Educação. 2. Apoio escolar. 3. Meio ambiente. 4. Planeta. 5. Sustentabilidade. I. Título. II. Ziasch, Simone. III. Shutterstock. IV. Série.

2024-1840

CDD 372.2
CDU 372.4

Elaborada por Lucio Feitosa - CRB-8/8803

Índice para catálogo sistemático:
1. Educação 372.2
2. Educação 372.4

Colaboradores: Rosângela de Oliveira Pinto e Bernardo Soares
Ilustrações: Simone Ziasch, Woodhouse/Shutterstock.com;
Wallaya Chumboriboon/Shutterstock.com; Foxelle Art/Shutterstock.m;
Capa: Simone Ziasch
Editora: Elisângela da Silva
Preparação de texto: Adriane Gozzo
Revisão: Fernanda R. Braga Simon e Karina Barbosa dos Santos
Projeto gráfico e diagramação: Ana Dobón
Produção: Ciranda Cultural

1ª Edição em 2024
www.cirandacultural.com.br

SUMÁRIO

APONTE A CÂMERA DO CELULAR PARA
O QR CODE E ACESSE O CONTEÚDO
EXTRA DA COLEÇÃO.

APRESENTAÇÃO

Seja bem-vindo ao livro *Makers salvando o planeta: SOS pelo meio ambiente*!

Faremos uma jornada incrível por um micromundo no qual o meio ambiente precisa de socorro! Mas, antes de iniciarmos nossa trajetória, quero apresentar a você nossa amiga Xingu.

Olá! Tudo bem com você?
Sou a Xingu, uma onça-pintada adolescente, e preciso da sua ajuda para salvar o lugar em que vivo. Quero lhe apresentar as belezas que existem no meu hábitat, assim como seus perigos e suas urgências.
Posso contar com você? Vamos juntos?
Vou guiá-lo pela floresta.

Você sabe de onde surgiu o nome Xingu? Xingu é uma onça-pintada muito famosa no Pantanal brasileiro, nascida em 2018. O nome da nossa personagem é uma homenagem a essa estrela do mundo animal! No QR Code ao lado, você pode conhecer melhor essa história.

Agora que conheceu a Xingu, é hora de entender o que você encontrará neste livro, com o qual você vai vivenciar aprendizados diferentes e colocar em prática habilidades e competências para contribuir com o meio ambiente. Você experimentará uma aprendizagem mais ativa e, por meio de experimentações, usará, em muitos momentos, a criatividade para construir, desconstruir, experimentar, descobrir, criar, errar e encontrar caminhos para salvar o meio ambiente. E nossa amiga Xingu acompanhará você nessa caminhada, oferecendo dicas e orientações.

Assim, quero lhe apresentar as bases que darão suporte à nossa aventura. Uma delas é a *cultura maker*. Você conhece esse termo?

A palavra *maker* vem do verbo em inglês *to make*, que significa "fazer". Trata-se de uma filosofia utilizada para construir algo com as próprias mãos (produto construído para determinada funcionalidade), além de reparar objetos e artefatos dos mais variados tipos e para diferentes funções.

A segunda base é a metodologia *robótica com sucata*, desenvolvida pela professora Débora Garofalo, que tem por objetivo ressignificar materiais (eletrônicos e recicláveis) para a criação de artefatos tecnológicos, despertando a criatividade e a inventividade. O trabalho de robótica com sucata ganhou notoriedade e é, atualmente, uma política pública que ressignifica caminhos para trabalhar a robótica na educação, de maneira sustentável, democratizando o acesso para milhares de estudantes.

Teremos um micromundo para explorar e realizar descobertas. Você já ouviu esse termo? Vamos entender o que ele significa?

MICROMUNDO DE APRENDIZAGEM

A palavra *micromundo* representa ambientes de aprendizagem nos quais podemos fazer explorações, simulações, descobertas e testes e desenvolver habilidades e competências para novos conhecimentos; por isso, partiremos da ideia de que nosso livro é um micromundo, para construirmos artefatos que vão contribuir para salvar o meio ambiente.

SAIBA MAIS

Agora que você sabe o que é micromundo, é importante compreender que seu conceito parte do Construcionismo, teoria proposta por Seymour Papert que prega que a aprendizagem é baseada em projetos. Essa teoria propõe uma transformação em sala de aula para a criação de um mundo no qual é possível fazer explorações e intervenções.

Fonte: News MIT. Disponível em: https://news.mit.edu/2016/seymour-papert-pioneer-of-constructionist-learning-dies-0801. Acesso em: 5 mar. 2024.

Seymour Papert (1928-2016) foi um educador e matemático sul-africano, pioneiro na área da linguagem de programação e na promoção dela nas escolas, visando desenvolver ambientes que propiciassem a construção do conhecimento por meio da programação educacional.

Agora, vamos transformar este livro em nosso micromundo, por meio do qual vamos utilizar uma lente de aumento no hábitat da Xingu.

Xingu, conte para nós qual é e como é seu hábitat.

Oba! Adoro falar do meu hábitat!
Moro na Mata Atlântica. Você sabia que ela é um dos grandes biomas brasileiros?
Há muitas belezas na Mata Atlântica, pois ela é uma das áreas mais ricas em diversidade biológica do planeta.
São mais de 15 mil espécies de plantas e mais de 2 mil animais vertebrados, sem contar insetos e outros animais invertebrados.
Mas, infelizmente, ela está ameaçada pelas ações humanas.

Em essência, o micromundo desta obra será a Mata Atlântica, o hábitat da Xingu. E temos uma missão muito importante nele: salvá-lo! Muitas ações humanas, entre elas a poluição, que se dá por meio do grande volume de lixo descartado de forma incorreta, estão entre as ameaças a esse hábitat.

Vamos juntos nessa missão?

INICIANDO A JORNADA

Para salvar o hábitat da Xingu, é necessário ir até a Mata Atlântica; no entanto, podemos iniciar esse trabalho com ações no nosso entorno. Vamos juntos?

Leia com atenção a pergunta abaixo e responda-a:

Neste livro, nossa missão é salvar o hábitat da Xingu por meio de ações relacionadas à cultura maker, à robótica com sucata e à linguagem de programação. E por quê? Por serem estratégias que estimulam a imaginação e possibilitam a invenção, a recriação e a investigação de problemas do mundo real, buscando soluções, construindo redes de saber e compartilhando experiências. Além disso, essas estratégias permitem o uso de sucatas na construção de artefatos, os quais podem ser úteis ao meio ambiente.

Vamos seguir em frente e compreender melhor?

MEIO AMBIENTE

Você já ouviu falar nos 5Rs? Os 5Rs são um modo de viver de maneira sustentável, preocupando-se em diminuir a geração de resíduos no planeta. São formados pelas palavras **repensar**, **recusar**, **reduzir**, **reutilizar** e **reciclar**.

Você pratica os 5Rs?

VAMOS DESCOBRIR NA PRÁTICA O QUE ESSAS PALAVRAS SIGNIFICAM?

REPENSAR	Você já comprou algo de que não precisava? Quem nunca, não é mesmo? Porém, o planeta pede consumidores mais conscientes. O consumo exagerado é uma das maiores causas de degradação do meio ambiente. Antes de realizar uma compra, é importante avaliar todo o ciclo de vida do produto: como foi produzido? Como será seu descarte? Quais recursos naturais foram utilizados? Adquirir o hábito de repensar na hora de consumir um produto ajuda a minimizar os impactos ambientais e a economizar.
RECUSAR	Outro passo importante é impedir que os resíduos entrem em sua casa. Na etapa *recusar*, é necessário evitar os descartáveis de uso único, ou seja, de vida curta, como sacolas, canudos de plástico, lixo eletrônico, entre outros objetos. Dê preferência a produtos de empresas que têm compromisso com o meio ambiente, empresas sustentáveis e com responsabilidade com valores ambientais e sociais.
REDUZIR	Diminuir a quantidade de resíduos produzidos e desperdiçados é fundamental para a preservação da vida no planeta. Entre as várias ações, estão comprar produtos que tenham mais qualidade e durabilidade; adquirir hábitos que diminuam os impactos ao meio ambiente, por exemplo, imprimir papel frente e verso, usar canecas em vez de copos plásticos, dar preferência a embalagens retornáveis, usar lâmpadas econômicas, entre muitos outros hábitos que possam reduzir nosso consumo.

REUTILIZAR	Ser sustentável inclui a reutilização dos produtos. Nas últimas décadas, descartamos tudo rapidamente; porém, a reutilização precisa ser entendida e colocada em prática. Reutilizar significa dar nova utilidade a um item já usado, por exemplo, reutilizar uma roupa antiga e alimentos para novas receitas.
RECICLAR	A reciclagem consiste na transformação do resíduo sólido não aproveitado em algo novo, em um produto novo. No processo de reciclagem, os resíduos sofrem alterações físicas, físico-químicas ou biológicas, o que lhes permite se tornar, novamente, matéria-prima ou produto. Além de contribuir para a economia de água e de matérias-primas, a reciclagem gera emprego e renda para a população.

Por que a sustentabilidade é importante? Porque está relacionada ao conceito de ações que devem ser tomadas diariamente, no presente, para garantir o futuro e a continuidade da vida humana com qualidade.

DESBRAVANDO A HISTÓRIA

Atualmente, ao falar em sustentabilidade, a Agenda 2030 da Organização das Nações Unidas (ONU) precisa ser mencionada. Ela está estruturada em 17 Objetivos de Desenvolvimento Sustentável (ODS), os quais envolvem o tripé da sustentabilidade: social, ambiental e financeira. De acordo com o conceito, esses aspectos devem sempre interagir de maneira harmônica em direção a um negócio, garantindo a integridade do planeta e da sociedade durante o crescimento econômico. Os fundamentos da sustentabilidade ambiental são proteger a água, economizar energia, reduzir o desperdício, usar embalagens recicláveis, limitar ou eliminar o uso de plásticos, usar transporte sustentável, reutilizar papel e proteger a flora e a fauna.

AÇÕES SUSTENTÁVEIS SÃO MUITO IMPORTANTES!

Percebo que muitas áreas são desmatadas porque há grande consumo de materiais que dependem de madeira e celulose. Inúmeros animais são mortos porque há pessoas que ainda utilizam peles de animal em suas vestimentas. Os rios estão poluídos por causa do descarte indevido de materiais recicláveis. As pessoas não querem o lixo dentro de suas casas e os descartam em qualquer lugar e na natureza, sem perceber que o planeta é a sua casa e precisamos dele para viver.

A Xingu trouxe pontos bem importantes para reflexão! Vamos compreender os impactos negativos no meio ambiente quando não cuidamos do lixo corretamente?

SAIBA MAIS

Segundo o Dicionário digital *Oxford Languages*, a palavra "lixo" é substantivo masculino e significa:

"**1.** qualquer material sem valor ou utilidade, ou detrito oriundo de trabalhos domésticos, industriais etc. que se joga fora.

2. tudo o que se retira de um lugar para deixá-lo limpo".

Em 2010, após muitos anos de discussão sobre resíduos e reciclagem, foi implementada a Lei nº 12.305, que instituiu a Política Nacional de Resíduos Sólidos (PNRS). Em seu artigo 3º, inciso XV, essa lei define o lixo como *resíduos sólidos que, depois de esgotadas todas as possibilidades de tratamento e recuperação por processos tecnológicos disponíveis e economicamente viáveis, não apresentem outra possibilidade que não a disposição final ambientalmente adequada.* (PNRS, 2010, p. 9)

Você percebe a diferença? "[...] depois de esgotadas **todas** as possibilidades de tratamento e recuperação [...]".

A geração de lixo no mundo e seu descarte incorreto têm causado impactos sérios na natureza, e precisamos adquirir bons hábitos e praticar ações apropriadas para minimizar esse processo, ou seja, temos de praticar os 5Rs. Portanto, os materiais que têm utilidade devem passar pelo processo de reciclagem ou ser reutilizados.

A PNRS define reciclagem como o processo por meio do qual os resíduos sólidos sofrem mudanças nas propriedades físicas, físico-químicas ou biológicas, visando à sua transformação em matéria-prima ou em novos produtos.

Alguns materiais podem ser reciclados e são chamados de materiais recicláveis. Já a reutilização é o aproveitamento de um material sem que ele seja alterado física, físico-química ou biologicamente. Esses materiais são considerados reaproveitáveis ou reutilizáveis.

Podemos construir um novo conceito de lixo conhecendo os problemas causados por ele, refletindo sobre eles e colocando em prática ações em busca de um mundo melhor para viver.

Você sabe o tempo de decomposição de alguns materiais que descartamos no dia a dia? É importante conhecer!

DESBRAVANDO A HISTÓRIA

Aço: mais de 100 anos.

Alumínio: de 200 a 500 anos.

Baterias: de 100 a 500 anos.

Borracha: tempo indeterminado.

Cerâmica: tempo indeterminado.

Isopor: 150 anos.

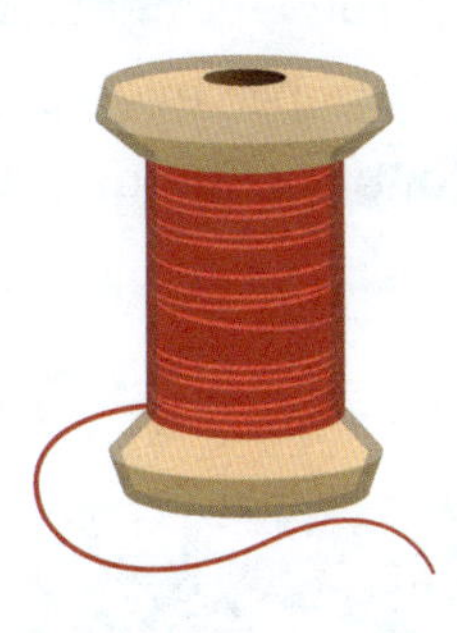

Corda de náilon: 30 anos.

Fralda descartável:
de 450 a 600 anos.

Embalagem longa-vida:
até 100 anos

Pilhas: de 100 a 500 anos.

Metais (componentes de
equipamentos): cerca de 450 anos.

Plásticos (embalagens,
equipamentos): até 450 anos.

Sacos e sacolas plásticas:
mais de 100 anos.

Vidros: tempo indeterminado.

Podemos reciclar e reaproveitar muitos desses materiais. Provavelmente, você e seus familiares já fizeram reciclagem e reaproveitaram lixo no dia a dia – por exemplo, usaram uma embalagem de manteiga vazia para guardar algum alimento; um copo de polpa de tomate vazio para beber água, entre outros.

O lixo reciclável e o não reciclável precisam ser separados corretamente para viabilizar o aproveitamento dos resíduos e garantir o descarte apropriado dos rejeitos. O lixo reciclável precisa ser descartado limpo e seco, enquanto os rejeitos (o chamado lixo comum) devem ser destinados a aterros sanitários controlados.

Você já experimentou separar esse lixo de maneira correta? Xingu, o que você acha?

Vamos tentar?

Separe o lixo de modo correto durante uma semana. Essa ação é o primeiro passo para a destinação, a disposição e o tratamento adequado do lixo. Para separar os resíduos de maneira correta, é preciso ficar atento aos tipos de materiais que serão descartados. Vamos fazer esse exercício apenas com o lixo reciclável não perigoso, combinado?

O lixo reciclável não perigoso é composto, principalmente, de papel, papelão, vidro, alguns tipos de plástico e alumínio. E a separação desses materiais também é importante para a reciclagem. Por isso, deve-se separar alumínio com alumínio, vidro com vidro, plástico PET com plástico PET, e assim por diante.

O primeiro passo para a separação consiste em higienizar o lixo, para evitar que ele se torne local de disseminação de doenças. Em seguida, é importante separá-lo de acordo com as cores da coleta seletiva:

AMARELO – metais em geral;
AZUL – papéis, papelão;
PRETO – madeira;
VERDE – vidros;
VERMELHO – plásticos.

Com essa ação, aproveite para sensibilizar as pessoas ao seu redor sobre a importância da separação do lixo de maneira correta para reciclagem.

MOMENTO REFLEXÃO

Como você se sentiu durante a semana em que praticou a reciclagem? Foi fácil? Conseguiu sensibilizar amigos e familiares?

Sua ação já ajudou a salvar meu hábitat! Você ajudou a: descartar o lixo de maneira correta e, consequentemente, decidir o destino apropriado de seus resíduos; conscientizar familiares e amigos sobre a destinação correta do lixo para reciclagem e reutilização. Obrigada!

Xingu, o que você acha de premiar nosso(a) leitor(a) a cada etapa cumprida?

ACHO UMA IDEIA EXCELENTE!

Vamos usar a gamificação em nossa missão!

Você sabe o que significa esse termo?

A gamificação está relacionada ao uso de elementos do *design* e do princípio dos jogos, sem o contexto do *game*. Ou seja, utilizam-se os conceitos dos jogos, como resolução de problemas, enigmas, premiação e desafios, mas sem estar conectado a um jogo.

Assim, você já conquistou duas peças do quebra-cabeça que vamos “montar” durante o percurso, neste livro.

Vamos utilizar os materiais recicláveis que você separou para construir alguns artefatos? Antes, porém, vamos relembrar as bases nas quais nosso micromundo está pautado: **cultura maker**, **robótica com sucata** e **linguagem de programação**.

CULTURA MAKER

Vamos retomar um pouco da história da cultura maker? Xingu, você nos ajuda?

DESBRAVANDO A HISTÓRIA

CLARO!

A cultura maker nasceu do movimento *Do It Yourself* (*DIY*), que, em português, significa "Faça você mesmo". Surgiu na década de 1950 e envolve práticas de fabricar, consertar ou montar algo por conta própria, sem a necessidade de contratação de serviços.

A partir dos anos 2000, o movimento se consolidou oficialmente, em especial com a criação da revista *Make* e o surgimento da Maker Faire – feira para que os makers (ou fazedores) pudessem se encontrar, produzir e compartilhar ideias.

Assim, a cultura maker na educação preza pela experiência prazerosa e lúdica do aprendizado do tipo "faça você mesmo" com criatividade, colaboração e autonomia; por isso, você também pode tornar-se um maker! Essa metodologia defende a ideia de que a aprendizagem é mais rica e mais bem elaborada quando temos a oportunidade de fazer e vivenciar na prática. As criações podem ser de baixo custo ou envolver tecnologia de ponta.

Os quatro pilares da cultura maker são criatividade, colaboração, sustentabilidade e escalabilidade.

Criatividade	Na cultura maker, é necessário ter criatividade, pensar "fora da caixa", inventar ou transformar para encontrar soluções para situações cotidianas.
Colaboração	Um projeto maker só tem a ganhar com o trabalho em equipe, o intercâmbio de ideias e a troca de conhecimentos. Os participantes devem apresentar suas ideias, argumentar com habilidade e mostrar postura de pesquisadores e colaboradores em prol do projeto.
Escalabilidade	Durante o processo de invenção e criação, surgem muitos desafios. Por essa razão, exercitar a capacidade de resolver problemas é fundamental para seguir adiante com o projeto em questão e evoluir para novos projetos.
Sustentabilidade	Na cultura maker, é imprescindível levar em consideração os impactos socioambientais, evitando ao máximo o desperdício, ressignificando usos e funções de materiais, quando possível. Outro ponto importante é: "menos é mais".

Você já pensou em usar lixo ou sucata para a construção de outros artefatos, usando a sua criatividade? A cultura maker nos mostra que podemos criar vários artefatos utilizando sucatas. Vamos praticar?

MOMENTO MÃO NA MASSA: carrinho de corda, de garrafa PET

Agora que conhecemos um pouco mais as questões ambientais e percorremos o hábitat da Xingu, vamos colocar a mão na massa na construção do carrinho de garrafa PET, artefato criado com material reciclável.

Para esta atividade, vamos utilizar garrafas PET, tampinhas e palitos de churrasco. Utilizando essas sucatas, estamos evitando seu descarte inadequado na natureza.

Vamos aprender a fazer um carrinho no qual você poderá dar corda para que ele ande sozinho?

MATERIAIS NECESSÁRIOS

- 2 garrafas PET;
- 6 tampas de garrafa PET;
- 4 elásticos;
- 2 palitos de churrasco;

Você precisará dos seguintes instrumentos:

- estilete;
- chave de fenda;
- tesoura com bom corte;
- pistola de cola quente.

DICA DE OURO:
Os instrumentos usados requerem cuidados. Por isso, peça ajuda a um adulto.

PARA REALIZAR A ATIVIDADE, SIGA O PASSO A PASSO.

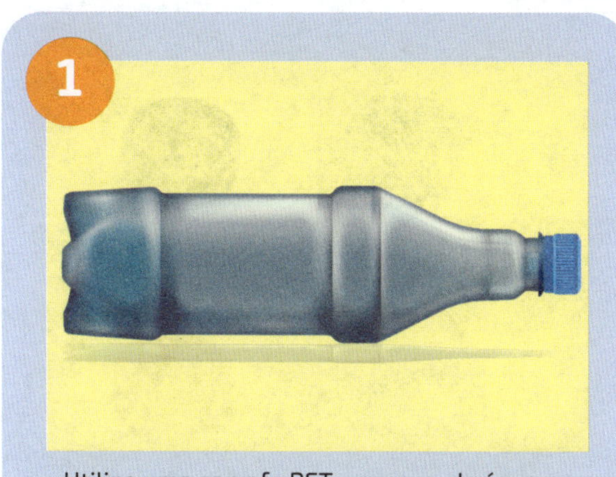

Utilize uma garrafa PET pequena, de água ou refrigerante, já limpa e sem rótulo.
Dica de ouro: escolha uma garrafa com plástico mais firme. Será mais fácil para trabalhar!

Com o estilete, recorte uma das laterais da garrafa. Apenas uma, OK? Lembre-se de que esse instrumento requer cuidado e deve ser utilizado com o auxílio de um adulto.

Na sequência, junte quatro tampinhas de garrafa PET, as quais serão as rodas do carrinho.

Com a chave de fenda, faça um furo no centro de cada tampinha. Se o plástico das tampinhas for duro, aqueça a chave de fenda no fogo. Atenção: para utilizar o fogo, solicite a ajuda de um adulto.

5

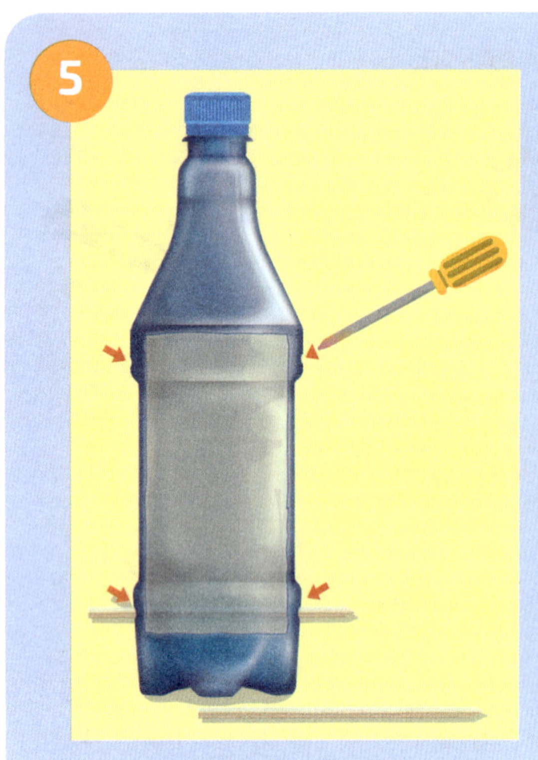

Em seguida, faça quatro furos na garrafa PET: dois na parte superior, na mesma direção, e dois na parte inferior, também na mesma direção.

6

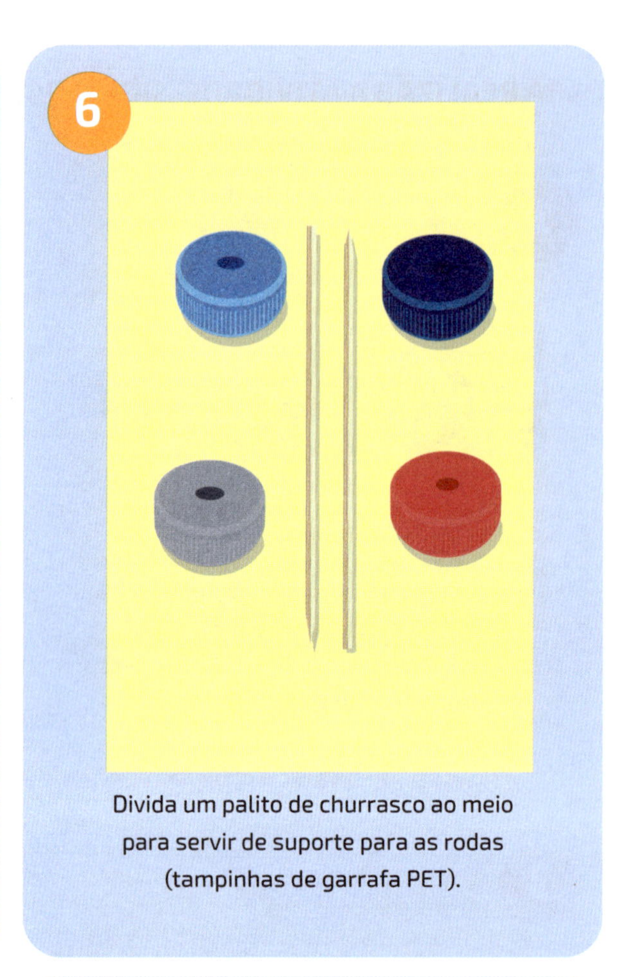

Divida um palito de churrasco ao meio para servir de suporte para as rodas (tampinhas de garrafa PET).

7

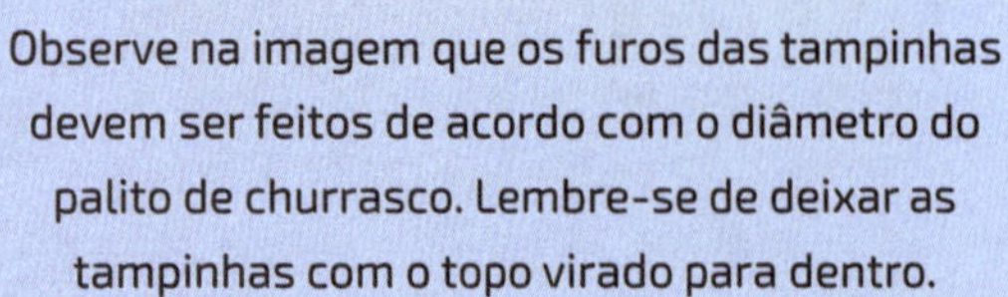

Observe na imagem que os furos das tampinhas devem ser feitos de acordo com o diâmetro do palito de churrasco. Lembre-se de deixar as tampinhas com o topo virado para dentro.

8

Observe na imagem, também, que você deverá cortar o palito de acordo com a largura da garrafa PET, de modo que as proporções do carrinho fiquem adequadas.

9

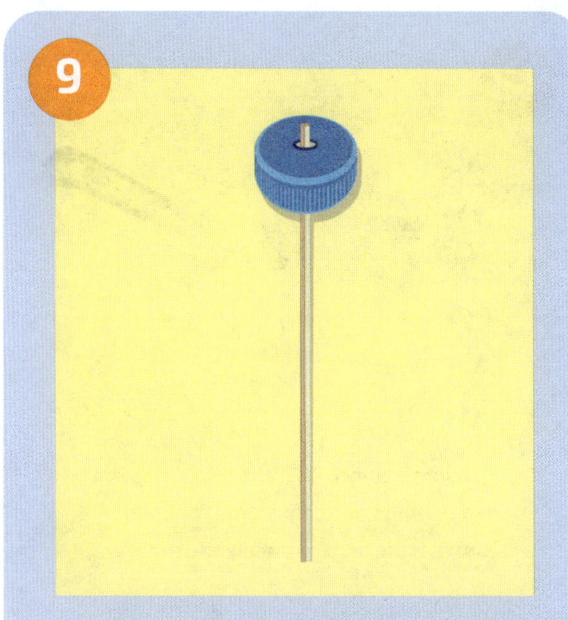

Pegue outra tampinha, além das quatro utilizadas para as rodas, e faça um furo no centro dela. Pegue o outro palito de churrasco para usar nessa tampinha. Esse conjunto é para a construção da hélice do carrinho.

10

Faça um furo no centro do fundo da garrafa PET.

11

Para fazer as hélices, recorte a parte de cima da outra garrafa PET. Nesse momento, você deverá fazer recortes de aproximadamente 2 cm para confeccionar as hélices. Pegue o palito e a tampa separados anteriormente e junte-os às hélices que você acabou de fazer.

Na sequência, recorte outra tampinha, até deixar apenas o centro dela, em formato de um quadradinho. Ele será um degrau no palito da hélice e deverá ser fixado com cola quente no palito, como consta na imagem.

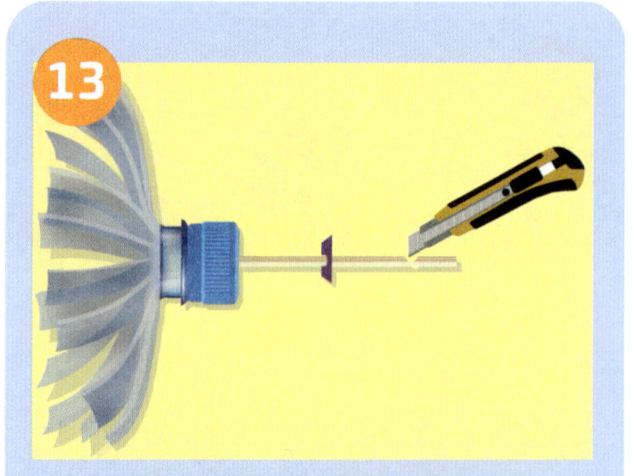

Próximo à ponta do palito e apenas em um dos lados dele, faça uma fenda média com o estilete para encaixar o elástico.

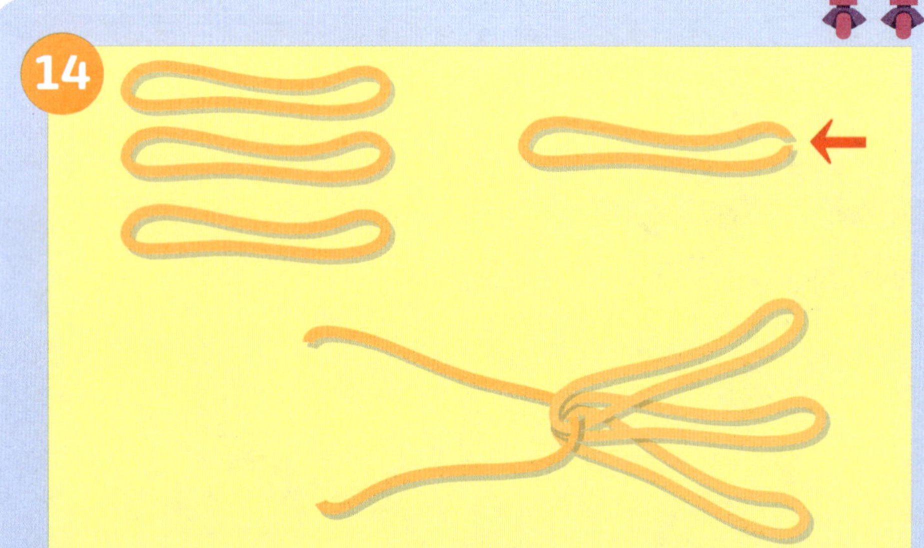

Corte parte de um elástico ao meio e pegue mais três inteiros. Envolva os três inteiros com o elástico cortado.

15

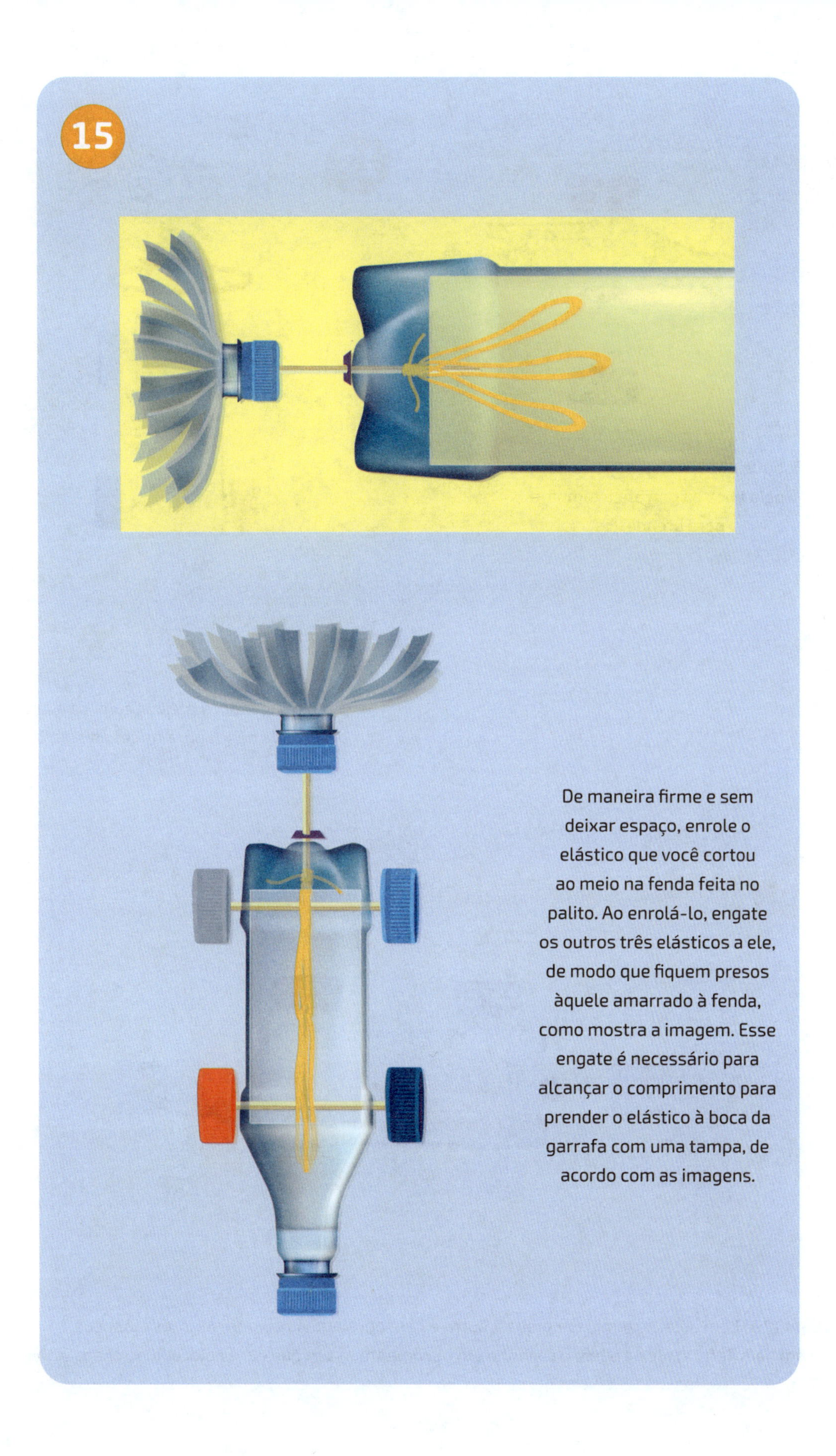

De maneira firme e sem deixar espaço, enrole o elástico que você cortou ao meio na fenda feita no palito. Ao enrolá-lo, engate os outros três elásticos a ele, de modo que fiquem presos àquele amarrado à fenda, como mostra a imagem. Esse engate é necessário para alcançar o comprimento para prender o elástico à boca da garrafa com uma tampa, de acordo com as imagens.

Estique os elásticos, puxe as pontas pela boca da garrafa e tampe-a para prendê-los.

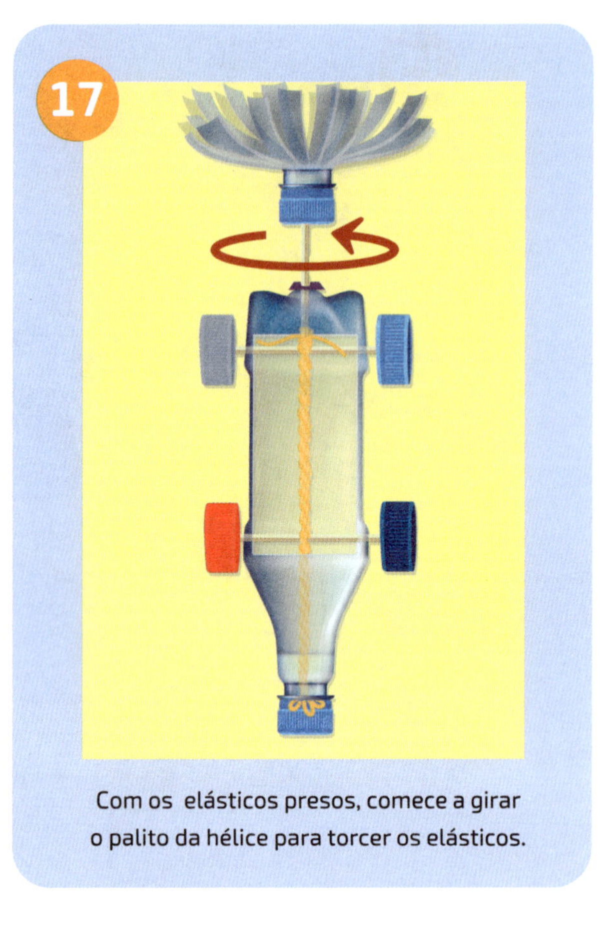

Com os elásticos presos, comece a girar o palito da hélice para torcer os elásticos.

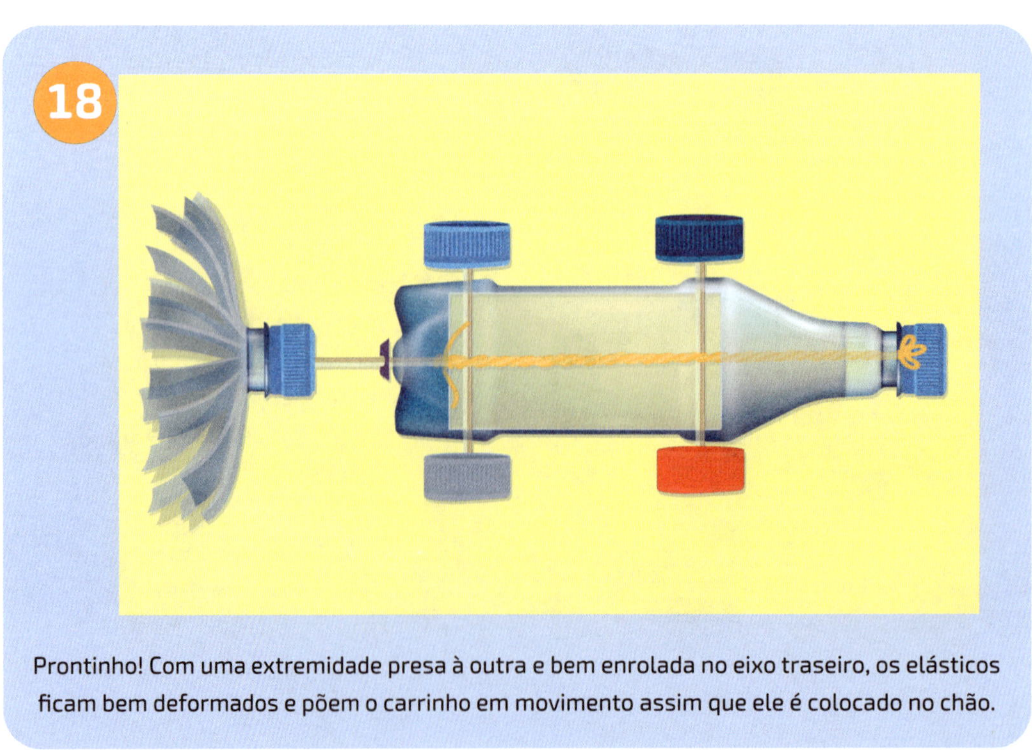

Prontinho! Com uma extremidade presa à outra e bem enrolada no eixo traseiro, os elásticos ficam bem deformados e põem o carrinho em movimento assim que ele é colocado no chão.

MOMENTO REFLEXÃO

Como foi a criação do carrinho de garrafa PET que dá corda? O que você aprendeu? Percebeu como materiais descartados recicláveis podem se transformar em artefatos bem legais, com criatividade e mão na massa?

ESTOU TÃO FELIZ!

Com essa ação, você evitou que garrafas PET fossem descartadas em rios, mares e outros locais da natureza. Por isso, já salvou mais um pouco meu hábitat.

Você acaba de ganhar mais duas peças do quebra-cabeça! Já tem ideia da imagem que ele vai formar?

Você acabou de trabalhar na construção de um artefato feito com materiais bem comuns, como a garrafa PET, e pôde perceber a importância de reutilizar materiais que podem ser reciclados e evitar seu descarte incorreto.

ROBÓTICA COM SUCATA

A robótica é um modo de aprendizagem por meio da construção de uma máquina, um robô. Além da montagem, é fundamental que o robô seja capaz de receber comandos e executar determinadas tarefas. Esses comandos podem ocorrer de maneira desplugada (concreta) e/ou plugada (digital).

CURIOSIDADE

Você já assistiu ao desenho animado *Os Jetsons* ou ouviu falar dele? É uma série animada de TV bem antiga, da década de 1960, relançada posteriormente na década de 1980, que previa inúmeros avanços tecnológicos que hoje são realidade. Rosie, a empregada doméstica robô, é um exemplo de robótica.

Atualmente, temos o robô aspirador, a Siri, a Alexa, entre outros.

George (pai), Jane (mãe), Elroy (filho), Judy (filha), Astro (cão) e Rosie (empregada robô), personagens do desenho animado *Os Jetsons*.

Essa estratégia de aprendizagem permite o exercício da criatividade, da colaboração, do raciocínio lógico e do pensamento crítico na busca da resolução de problemas.

Mas, ao falarmos em robô, logo nos vêm à mente a tecnologia, os equipamentos para construir o artefato e a necessidade de fazer com que ele receba comandos e execute tarefas, não é mesmo?

No entanto, também podemos exercitar a robótica com sucata! A professora Débora Garofalo testou e comprovou, por meio de vários projetos, as inúmeras possibilidades da robótica com o uso de sucata, ou seja, unindo os conceitos de sustentabilidade e tecnologia.

A robótica com sucata possibilita a construção, com o uso de sucata e de itens recicláveis, de robôs como solução para as necessidades ambientais, além de várias outras.

Vamos colocar a mão na massa e aprender mais sobre a robótica com sucata?

AUTÔMATO

O autômato é um mecanismo operado de maneira automática, imitando movimentos humanos. É considerado o robô mais antigo da humanidade, com os primeiros exemplares tendo sido construídos no século XVIII.

Fonte: Neuchâtel Museum of Art and History
https://www.opovo.com.br/noticias/curiosidades/2021/03/07/os-primeiros-robos-da-humanida-de--automatos-capazes-de-escrever--desenhar-e-tocar-foram-construidos-no-seculo-18.html

Autômatos criados pelo relojoeiro suíço Pierre Jaquet-Droz.

Para a construção de esculturas mecânicas, podemos utilizar também papelão, material bastante comum no lixo reciclável.

Você pode construir um autômato que lhe possibilite explorar, de maneira divertida, elementos de máquinas simples, como cames (engrenagens sem dentes), alavancas e elos.

MOMENTO MÃO NA MASSA: robô autômato de papelão

MATERIAIS NECESSÁRIOS

RECICLÁVEIS:

- caixa de papelão pequena (de aproximadamente 15 cm × 15 cm);
- palitos de churrasco.

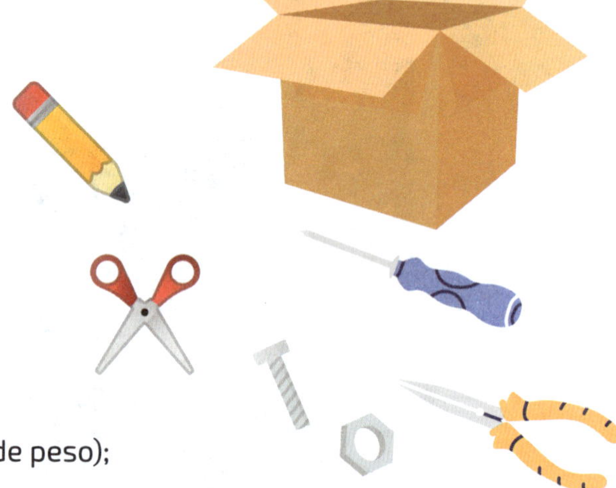

DE BAIXO CUSTO:

- E.V.A. com 6 mm de espessura;
- canudos de papel;
- fita-crepe;

INSTRUMENTOS:

- tesoura;
- pistola de cola quente;
- arruelas e porcas (para servirem de peso);
- lápis apontado;
- prego, parafuso para madeira ou chave de fenda (para fazer os furos no papelão).

DICA DE OURO:
vamos manipular materiais que requerem atenção, como cola quente e pregos; então, é importante estar atento para não se machucar. Se precisar, peça ajuda a um adulto!

SIGA O PASSO A PASSO.

1

Remova as abas superiores e inferiores da caixa de papelão, representadas em azul na imagem. Guarde esses pedaços, pois serão necessários em outro momento.

2

Corte a caixa quadrada ao meio, retirando duas seções dela e criando dois quadros de aproximadamente 10 cm de largura, que ficarão assim:

3

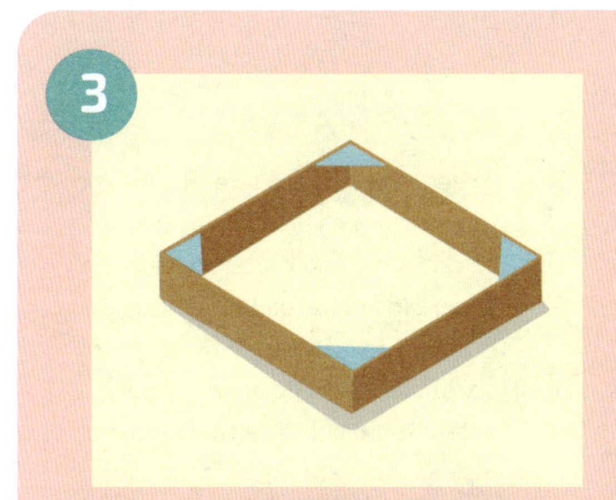

Para estabilizar a caixa, corte quatro triângulos de papelão e cole-os em cantos opostos dos quadros. Partindo do princípio de que a caixa tenha, em média, 15 cm, os triângulos (destacados em azul na imagem) deverão ter, em média, 5 cm.

4

Agora, vamos preparar o came, elemento com o qual giramos a manivela, e o seguidor de came, elemento localizado na parte superior do came e que se moverá de acordo com a forma e a posição definidas pelo primeiro. Esses elementos são muito utilizados na engenharia mecânica!

Como na imagem, o came pode ter diferentes formatos. Desenhe o came e o seguidor de came numa folha de E.V.A. e recorte-os. Utilizando as opções de came da imagem, deixe os seus com cerca de 7 cm de diâmetro. O seguidor de came deve ser um pouco maior que o came.

5

Com um prego, um parafuso para madeira ou uma chave de fenda, fure as laterais da moldura. Os furos devem ser feitos no centro, para que o came não encoste nem na parte superior nem na parte inferior da moldura. A espessura do furo deve permitir passar um palito de churrasco. Coloque o came em um palito de churrasco dentro da moldura, mas não cole nada ainda! Observe a imagem:

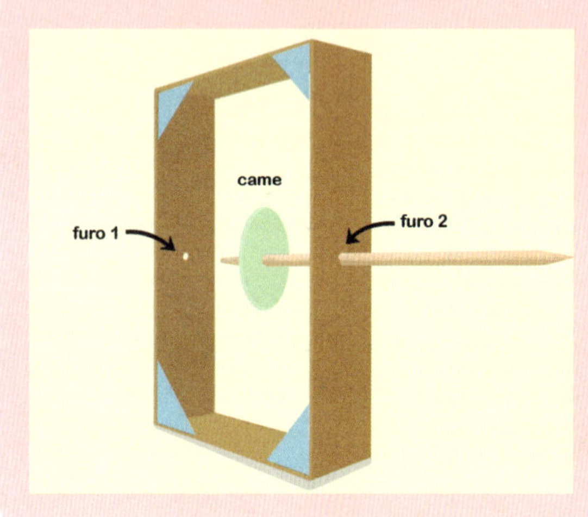

6

Corte pequenos quadrados de E.V.A. um pouco mais grossos e coloque-os em cada ponta do palito de churrasco, pela parte de fora da moldura. O quadrado de E.V.A. vai segurar o palito de churrasco. Mas não cole nada ainda! Observe:

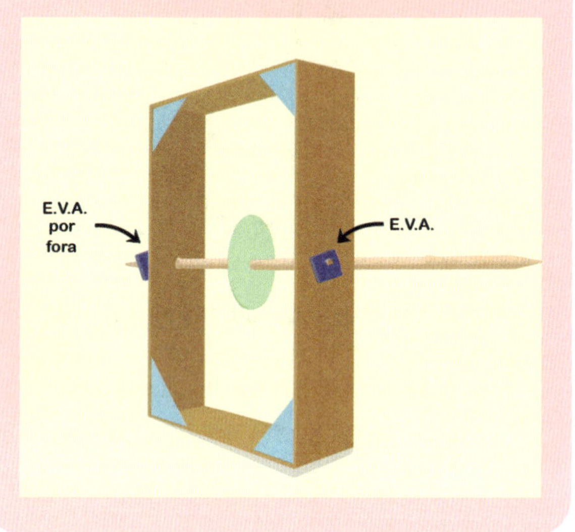

DICA DE OURO:
a ponta de um lápis é uma boa ferramenta para alargar o furo aos poucos, de modo que o canudo se encaixe sem escorregar pelo furo!

7

Na sequência, fure a lateral superior da moldura na direção da posição do came, para colocar o seguidor de came, e insira um pedaço de canudo. O canudo deve ultrapassar um pouco acima e abaixo da moldura, para estabilizar o palito de churrasco na posição vertical. Com cuidado, cole o canudo no lugar!

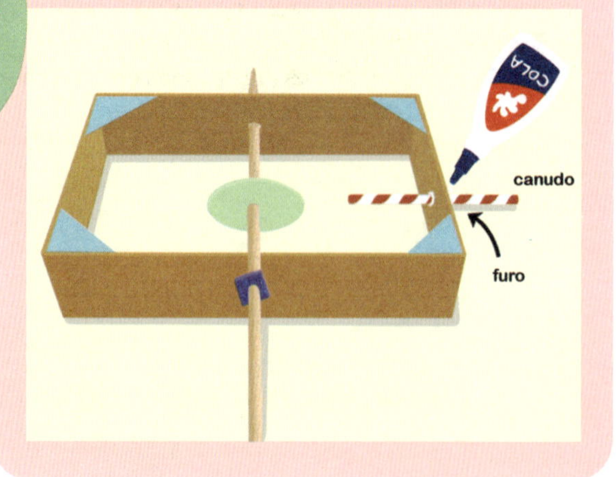

8

Insira o palito de churrasco no canudo, então cole o seguidor de came na extremidade final.

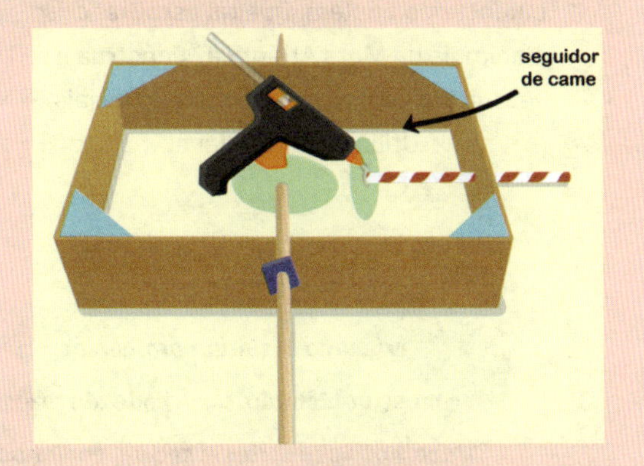

DICA DE OURO:

se o seguidor de came não estiver em contato com o came, adicione as porcas ou arruelas para que sirvam de pequenos pesos, antes de fixá-lo no palito. Se quiser alterar o movimento, você pode trocar a posição do came no palito.

9

Ajuste o came debaixo do seguidor, até conseguir um movimento de que goste; só depois de ter certeza de que está no local correto e fazendo o movimento desejado, cole o came no palito de churrasco. Cole um pequeno retângulo recortado da caixa de papelão no eixo de palito de churrasco. Cole um segundo pedaço de palito de churrasco no retângulo, para finalizar a manivela.

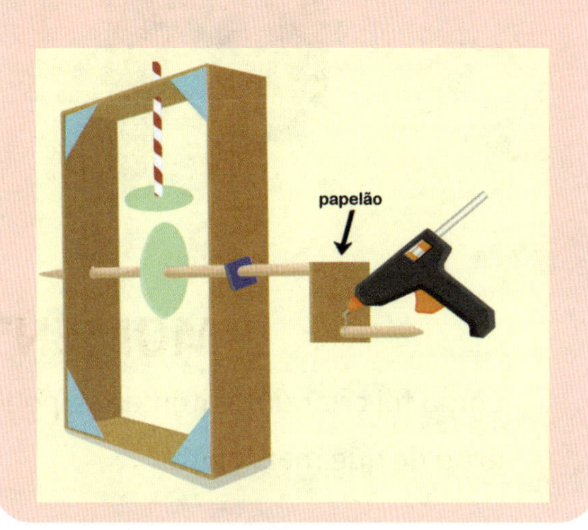

10

DICA DE OURO:

a forma como você alinha os cames e os seguidores de came determina o movimento dos elementos animados; por isso, fique atento durante a construção. Alguns alinhamentos simples para conseguir os movimentos são:

gira-gira

sobe e desce + gira-gira:

vaivém:

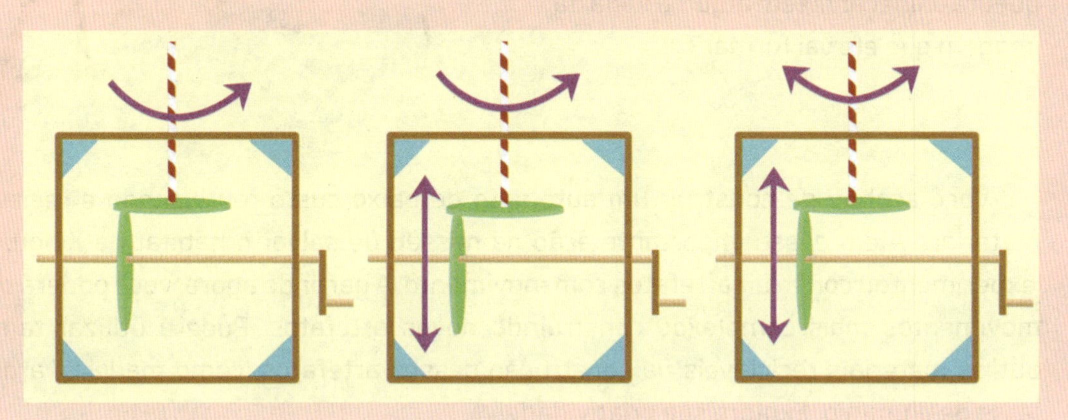

Quando o sistema estiver pronto, pense no que pode ser movimentado no topo da caixa. Pense em coisas que giram, balançam ou pulam. Que tal escolher criar animais da Mata Atlântica? Construa a escultura com o restante dos materiais. Utilize lixo reciclável.

DICA DE OURO:
crie uma história para contar com seu autômato. Você pode até fazer trabalhos voluntários e sociais contando histórias com ele e compartilhando com os colegas.

MOMENTO REFLEXÃO

Como foi criar um autômato e poder personalizá-lo com o objeto que deseja e/ou de que mais gosta?

PARABÉNS!

Você acabou de reutilizar vários materiais que poderiam ser descartados de maneira inadequada na natureza. Por isso, me ajudou a salvar o meu hábitat.

Você ganhou mais duas peças do quebra-cabeça! Já tem alguma ideia da imagem que ele vai formar?

Você acabou de construir um autômato de baixo custo reutilizando e reciclando materiais. Além dessa importante ação na missão de salvar o hábitat da Xingu, você experimentou construir artefatos com movimento. A partir de agora, você poderá testar movimentos mais complexos construindo novos artefatos. Poderá utilizar também outros materiais recicláveis na construção desses artefatos, como madeira, arame e latas de alumínio. Explore sua criatividade!

MECANISMOS COM SERINGAS PNEUMÁTICAS

Vamos avançar nossos conhecimentos em robótica?

Você já ouviu falar em sistemas pneumáticos? Sabia que é possível transferir energia e movimento com o uso de seringas?

Quando conectamos seringas cheias de água a uma mangueira, é possível transferir o movimento de um êmbolo para o outro pela pressão exercida no líquido. São as seringas pneumáticas.

Você está convidado a experimentar o uso de seringas pneumáticas para explorar formas de integração com outros materiais.

MATERIAIS NECESSÁRIOS

- 2 seringas plásticas, sem agulha, de 5 ml;
- mangueira de ar para aquário (do mesmo tamanho da ponta da seringa, para que se encaixem perfeitamente);
- anilina ou corante azul à base de água;
- copo de água de 250 ml.

MOMENTO MÃO NA MASSA: seringas pneumáticas

Siga o passo a passo.

Misture a anilina e/ou o corante azul a um copo de água de 250 ml, conforme mostra a imagem.

Agora, encha uma seringa com água colorida. Para enchê-la, é preciso elevar o êmbolo até em cima.

Quando a seringa estiver cheia, encha a mangueira com água, descendo o êmbolo.

Retorne a água para a seringa e conecte a outra seringa à mangueira. Uma seringa deverá estar cheia de água, e a outra, vazia, com o êmbolo apertado até o fim.

Com essa primeira experiência, você pode integrar as seringas a outros materiais, de preferência recicláveis, para fazer outras invenções. Vamos experimentar construir um guindaste hidráulico?

PARA ESTA ATIVIDADE, VOCÊ PRECISARÁ DOS SEGUINTES MATERIAIS:

RECICLÁVEIS:

- palitos de sorvete;
- 1 palito de churrasco;
- arame galvanizado de 4 mm;
- papelão.

DE BAIXO CUSTO:

- 2 seringas de 5 ml;
- cola instantânea;
- anilina e/ou corante azul.

INSTRUMENTOS:

- tesoura;
- pistola de cola quente;
- furadeira e/ou prego;
- alicate;
- estilete.

MOMENTO MÃO NA MASSA: guindaste hidráulico

Siga o passo a passo.

Com os materiais separados, cole três conjuntos de palitos de sorvete com cola quente, formando três montinhos. Um conjunto deve ter quatro palitos, e dois conjuntos, dois palitos.

Após colar os três conjuntos de palitos, fure a ponta de cada um deles. Você pode usar um prego ou, com a supervisão de um adulto, uma furadeira com broca fina (4 mm).

Depois de ter furado os três conjuntos de palitos, passe um palito de churrasco por eles, deixando o conjunto mais grosso no meio.

Agora, corte as pontas de outros quatro palitos de sorvete e cole-as com cola quente, conforme a imagem. Separe os palitos para usar as outras pontas nos próximos passos.

5

Na sequência, cole o bloquinho de quatro pontas de palito no meio da estrutura já construída, bem na extremidade dela. Observe a imagem.

6

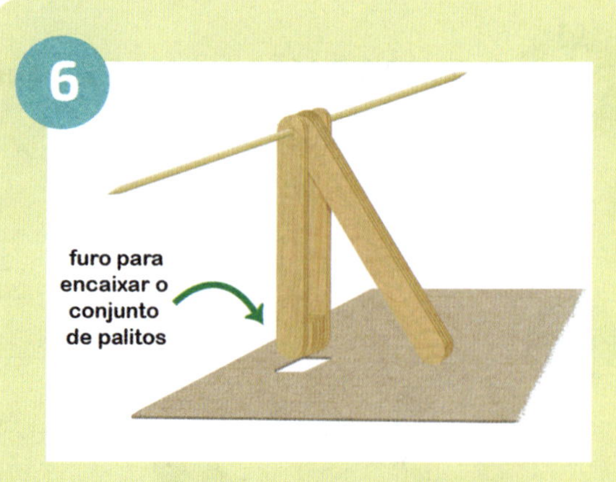

Em um papelão, recorte o espaço exato (2,5 cm × 1 cm) para encaixar a estrutura do lado que tem oito partes do palito. Se precisar fazer ajustes no recorte do papelão, faça-o com muito cuidado, para a estrutura ficar bem fixa, sem folgas.

7

Recorte dois pequenos pedaços de papelão, fure-os no centro e encaixe um de cada lado do palito de churrasco. Recorte as sobras do palito de churrasco para realizar essa etapa, como na imagem. Em seguida, cole os dois lados com cola instantânea.

8

Com o estilete, recorte a parte de cima do êmbolo da seringa. Depois, retire uma parte das laterais, próximo ao fim do êmbolo, e fure no centro essa parte do material, assim:

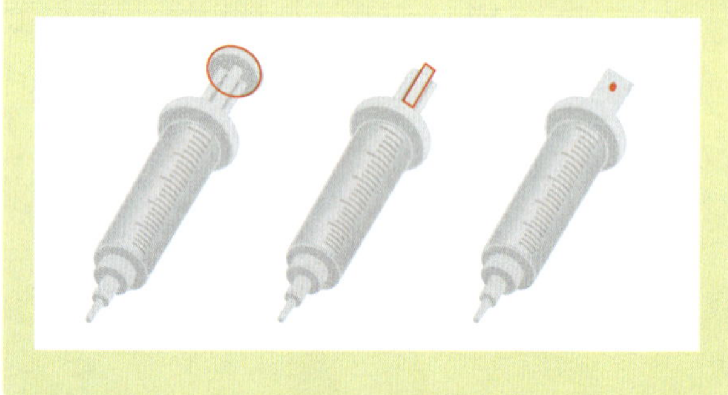

9

Com a furadeira, faça outro furo na parte inferior da seringa, como mostra a imagem. Lembre-se de que a broca precisa ter 4 mm de diâmetro.

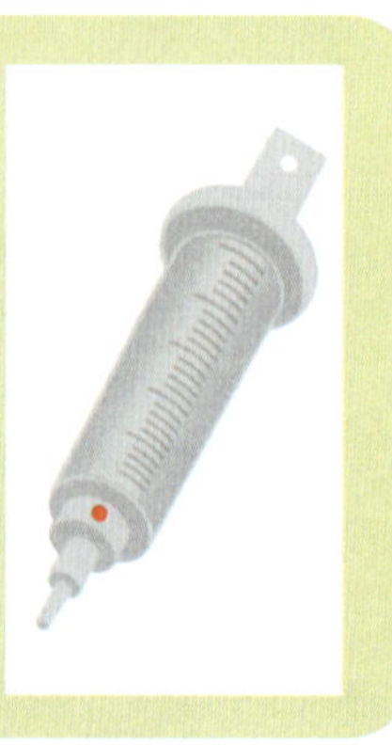

10

Dissolva a anilina ou o corante azul em um pouco de água e mexa com uma colher.

11

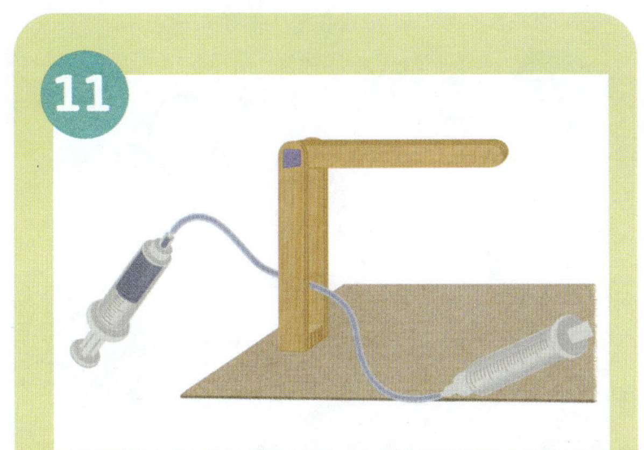

Encha uma seringa com a água colorida e encaixe a mangueira nela. Passe a mangueira no meio da estrutura e encaixe-a na seringa vazia.

12

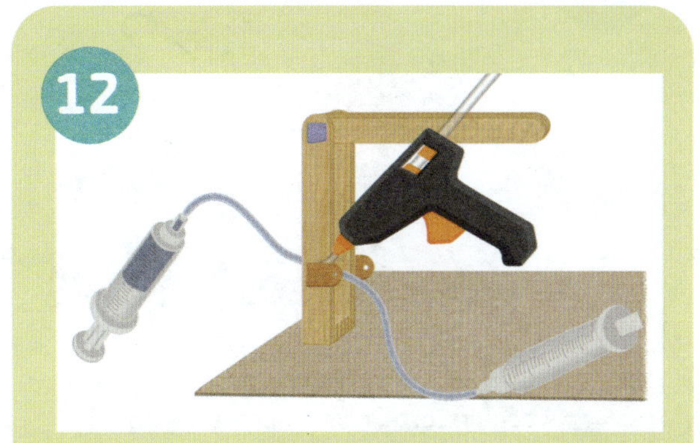

Recorte mais duas pontas do palito de sorvete e, com cola quente, cole-as na estrutura, conforme consta na imagem. Na sequência, com a furadeira, fure as duas pontas coladas, para encaixar a seringa furada com um arame galvanizado, na etapa seguinte.

13

Com o alicate, corte um pedaço pequeno do arame galvanizado (4 mm) e passe-o pelos furos do palito e da ponta da seringa. Depois, com cola instantânea, cole as duas pontas do arame nas pontas do palito para fixar e permitir que a seringa tenha flexibilidade e movimento.

14

Repita o procedimento com a parte de baixo da seringa e o outro lado da estrutura. Recorte duas pontas do palito de sorvete e, com cola quente, cole-as na estrutura, conforme a imagem.
Em seguida, com a furadeira, faça um furo nas duas pontas coladas. Corte, com o alicate, um pedaço pequeno do arame galvanizado e passe-o pelos furos do palito e da ponta da seringa.

15

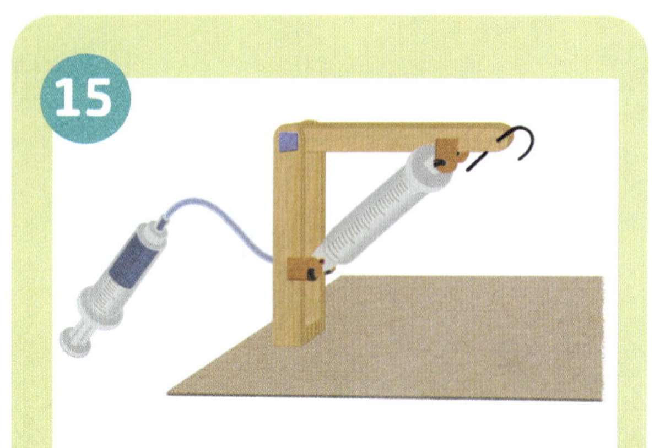

A seguir, corte, com o alicate, outro pedaço de arame, porém um pouco maior, em formato de gancho, de modo que fique pendurado nos furos feitos na ponta da estrutura montada.

16

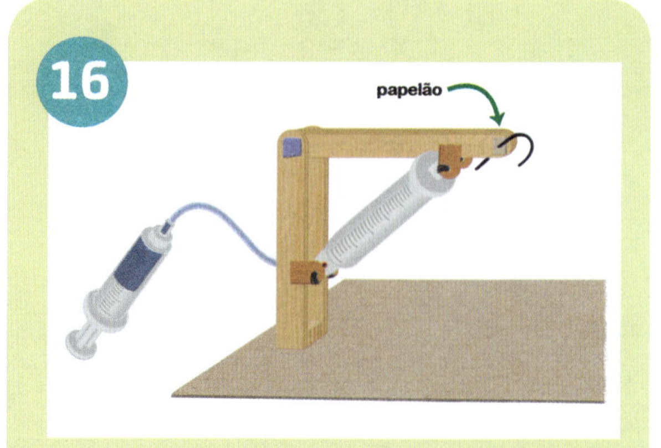

No lado oposto, cole, com cola instantânea, um pequeno quadrado de papelão (furado no centro), para fixar o gancho de arame. Veja:

17

Seu guindaste hidráulico está pronto! Com a pressão do líquido entre as duas seringas, ao pressionar a seringa de fora do sistema, você movimenta o guindaste, fazendo-o subir e descer, como na imagem.

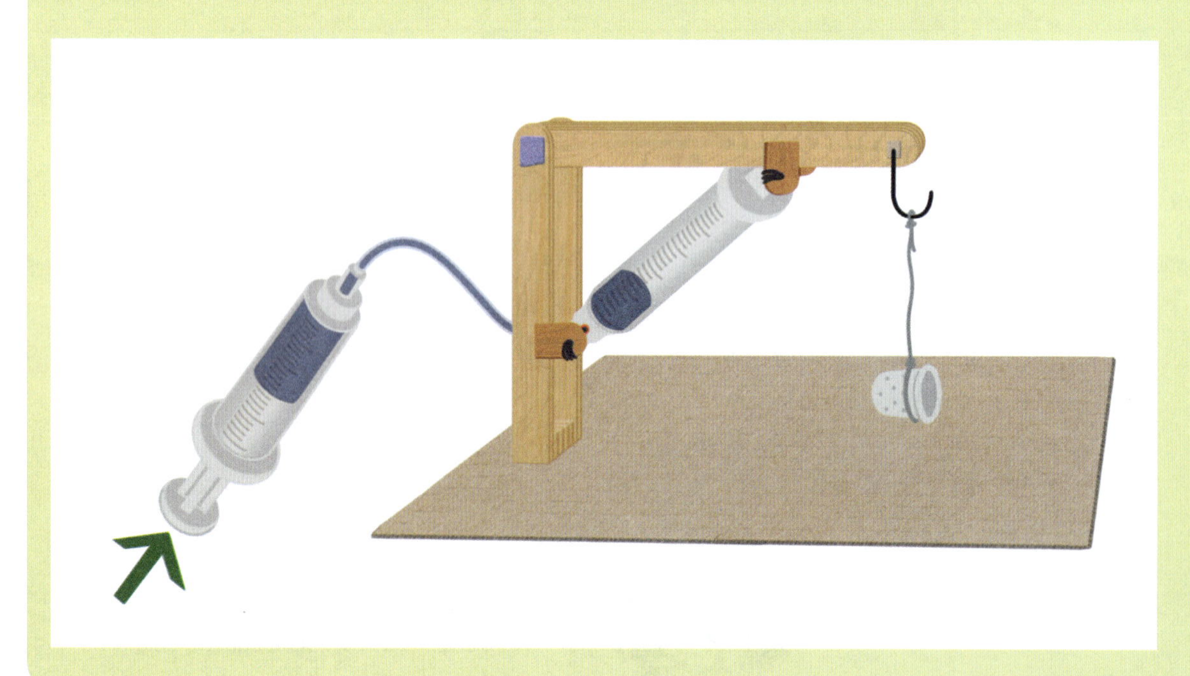

MOMENTO REFLEXÃO

Você sabia que, tanto na automação quanto no suporte a vários processos, os sistemas pneumáticos servem de meio simples e econômico para realizar movimentos em uma indústria?

Agora que você conhece, de maneira simples, o funcionamento de um sistema pneumático, poderá inventar e construir vários sistemas, como um braço pneumático, utilizando outros materiais recicláveis.

Sistema pneumático industrial.

PARABÉNS!

Você está incrível na missão de salvar meu hábitat! Parabéns!

Você acaba de ganhar mais duas peças do nosso quebra-cabeça!

Ao realizar a atividade do guindaste hidráulico, você experimentou a construção de mais artefatos com materiais recicláveis, reutilizáveis e de baixo custo. Pôde perceber como é possível construir artefatos mais complexos de maneira desplugada, com sucatas e criatividade.

Além da proposta sustentável, aprendeu conceitos da mecânica de modo prático e simples. O conceito abordado na atividade das seringas pneumáticas é o Princípio de Pascal, que diz que a pressão produzida num líquido é capaz de exercer muita força e produzir movimento, transferindo objetos pesados de um ponto a outro. Experimente reproduzir outros artefatos com os conhecimentos adquiridos.

LINGUAGEM DE PROGRAMAÇÃO

Você sabia que utilizamos a programação em muitos momentos do nosso dia a dia? É isso mesmo! Quando colocamos o celular para despertar, a máquina para lavar, a cafeteira para funcionar, entre outras ações, estamos utilizando a programação.

A programação parte do pensamento computacional e segue alguns passos:

Decomposição	Ocorre ao dividirmos os processos ou problemas em partes menores, mais fáceis de serem administradas.
Reconhecimento de padrões	Acontece quando observamos e identificamos tendências e regularidade de dados.
Abstração	Ao identificarmos os princípios gerais que dão origem aos padrões, fazemos a abstração.
Algoritmo	Ao desenvolvermos o passo a passo para solucionar um problema, criamos um algoritmo.

Atualmente, saber utilizar recursos tecnológicos tornou-se uma necessidade. Porém, entender a lógica por trás do funcionamento desses recursos também é fundamental.

Vamos compreender a lógica da programação de maneira lúdica, divertida e desplugada, colocando a mão na massa?

LABIRINTO

A lógica do pensamento computacional e da programação pode ser realizada e compreendida de forma desplugada, ou seja, sem a utilização de recursos digitais. Além disso, também podemos construir artefatos utilizando a lógica de programação, com materiais recicláveis.

Vamos construir um labirinto com papelão e massinha de modelar para compreender melhor o que é um algoritmo?

SAIBA MAIS

Algoritmo é uma sequência de instruções que servem para realizar alguma função.

PARA ESTA ATIVIDADE, VOCÊ PRECISARÁ DOS SEGUINTES MATERIAIS:

RECICLÁVEIS:

- tampa de caixa de sapato ou similar;
- tampa de garrafa PET;
- bolinha de gude.

DE BAIXO CUSTO:

- massinha de modelar;
- folha de papel branca.

INSTRUMENTOS:

- lápis e borracha;
- régua;
- caneta comum ou hidrocor preta;
- cola branca (de preferência, em bastão);
- estilete.

DICA DE OURO:
Lembre-se de que alguns instrumentos, como o estilete, são perigosos e precisam ser usados com cuidado. Peça ajuda a um adulto.

MOMENTO MÃO NA MASSA: labirinto

Siga o passo a passo.

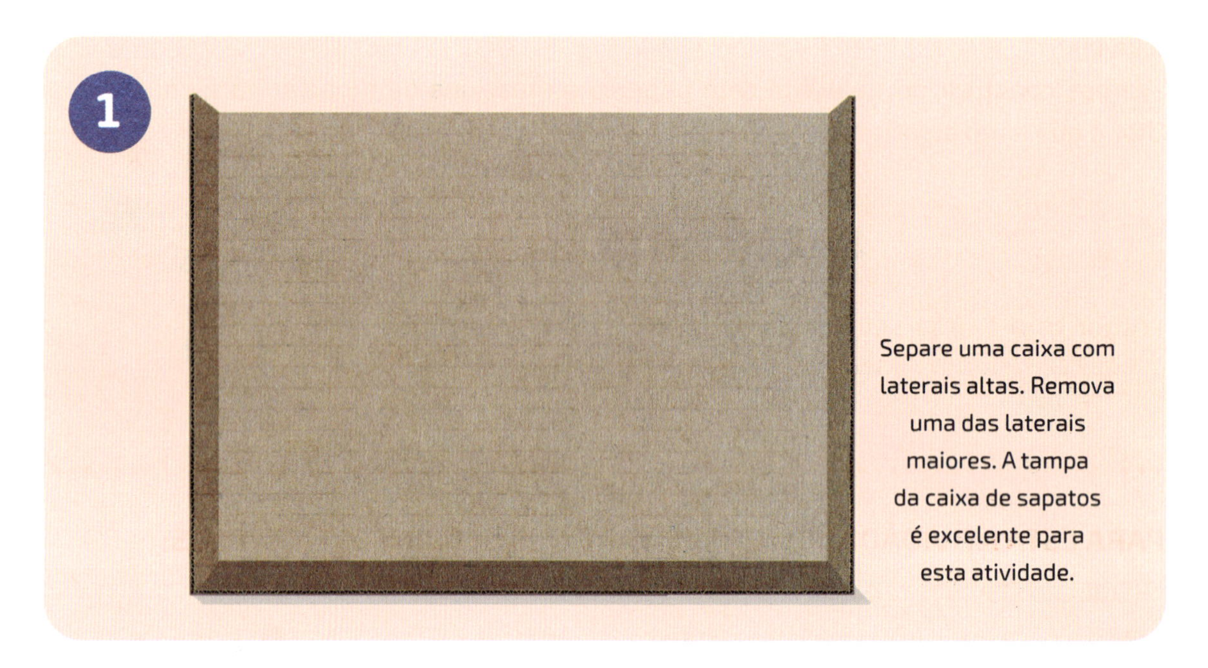

1

Separe uma caixa com laterais altas. Remova uma das laterais maiores. A tampa da caixa de sapatos é excelente para esta atividade.

2

Separe uma folha de papel ofício ou sulfite branca, de acordo com o tamanho da tampa da caixa de sapatos.

Agora, você vai precisar de régua, lápis e uma tampa de garrafa PET para desenhar o labirinto na folha branca.

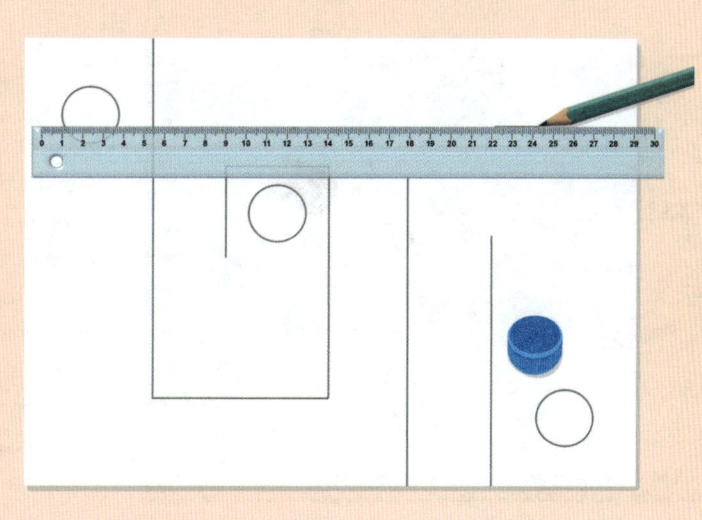

Uma sugestão é desenhar o labirinto com três pontos (círculos): zero, um e dois.

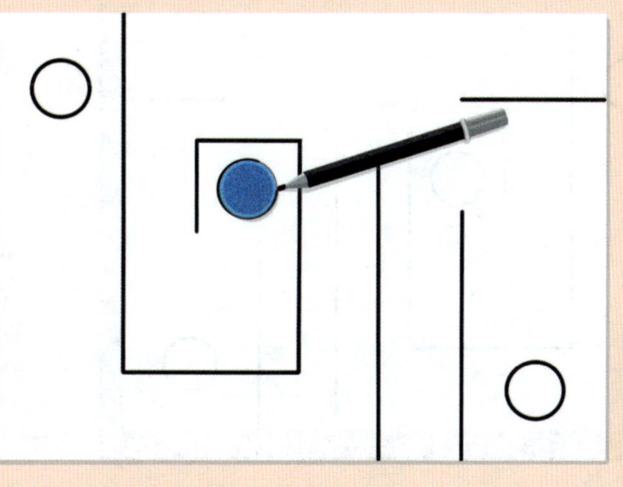

Após o desenho com lápis, passe uma caneta comum ou hidrocor preta para realçar os traços.

A ideia é que ele fique com traços fortes, como mostra a imagem.

Passe cola na caixa de papelão para fixar a folha com o desenho do labirinto. Use cola em bastão ou outra que se espalhe bem. Importante: a cola não pode ser depositada em excesso, senão vai enrugar a folha.

Fixe a folha branca na caixa com muito cuidado para não formar nenhuma ruga.

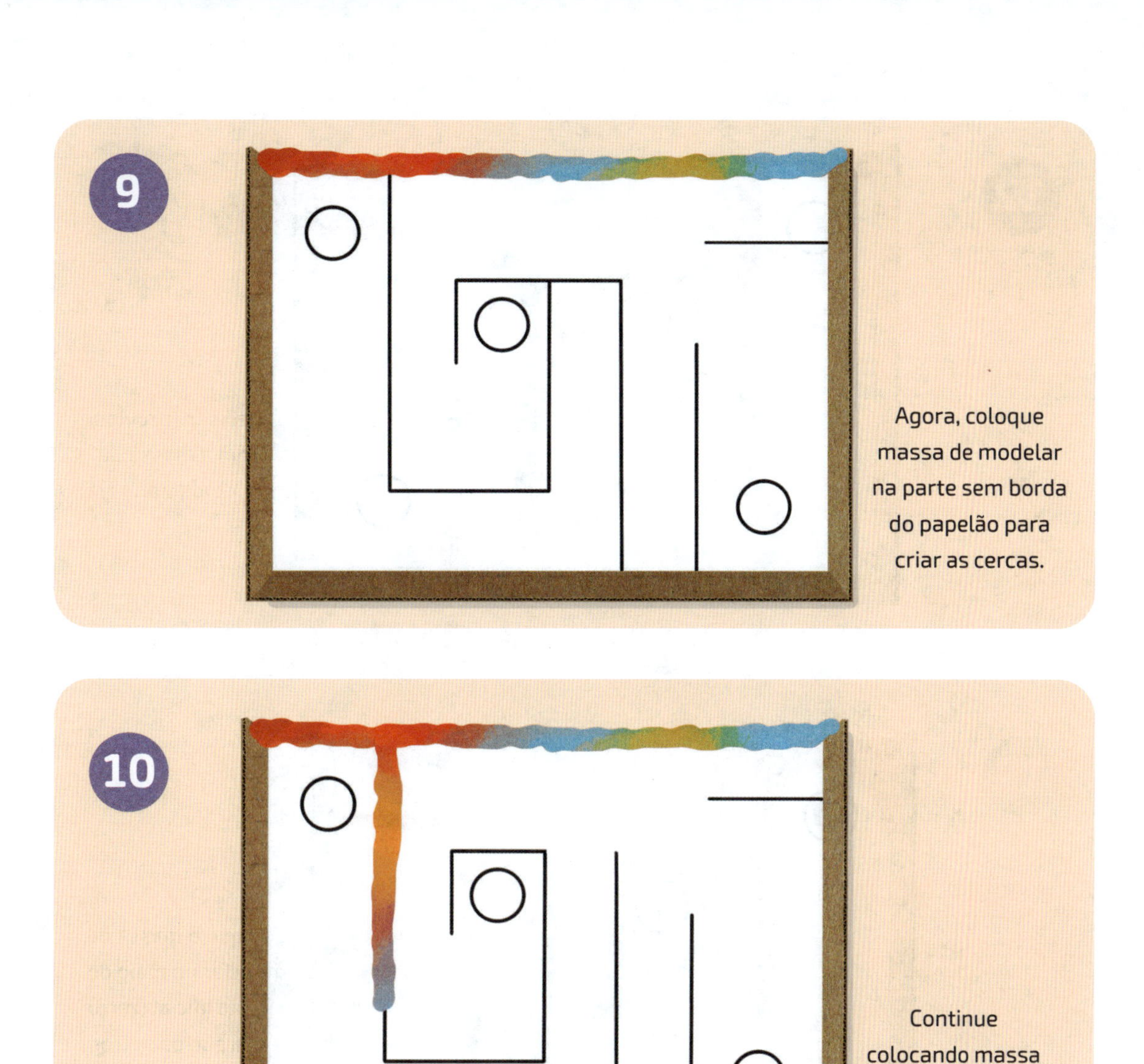

9

Agora, coloque massa de modelar na parte sem borda do papelão para criar as cercas.

10

Continue colocando massa de modelar em todas as linhas do labirinto.

11

É importante fazer, com a massa de modelar, um relevo em todas as linhas.

Deixe os círculos sem a massa de modelar.

Coloque a massa de modelar no meio do círculo inicial (zero) e marque os outros círculos com 1 e 2. Você precisará de uma bolinha de gude para iniciar o jogo.

Inicie o jogo. Marque os caminhos e os círculos que deseja alcançar e comece a diversão.

O labirinto deve ser jogado em dupla. Um jogador segura o tabuleiro e deve seguir as orientações e instruções do outro jogador.

MOMENTO REFLEXÃO

Você gostou de construir o labirinto? Achou fácil? Percebeu que, quando um jogador dá as instruções ao outro, está utilizando a lógica da programação?

Você percebeu como, a cada atividade realizada e artefato construído, tem contribuído para a solução de um problema socioambiental tão sério que é o lixo? Percebe como estamos praticando os 5Rs e, com isso, desenvolvendo muitas habilidades e conhecimentos?

Nesta última atividade, aprendemos noções de algoritmo de maneira muito prática e significativa.

PROGRAMAÇÃO DESPLUGADA

Vamos continuar programando, utilizando papel, papelão, caneta hidrocor e outras ferramentas não digitais?

PARA ESTA ATIVIDADE, VOCÊ PRECISARÁ DOS SEGUINTES MATERIAIS:

RECICLÁVEIS:

- papelão firme;
- tampas de garrafa PET;
- pedaços de ímã;
- palito de churrasco (ou similar).

DE BAIXO CUSTO:

- folha de papel branca;
- folha de papel pardo.

INSTRUMENTOS:

- lápis e borracha;
- régua;
- estilete;
- tesoura;
- cola quente;
- cola branca em bastão;
- caneta hidrocor.

MOMENTO MÃO NA MASSA: jogo de tabuleiro

Siga o passo a passo.

Construa uma tabela, com quadrados de 3 cm de cada lado. A parte horizontal vai de A a G, e a vertical, de 1 a 5.

Com cola quente, fixe as tampas de garrafa PET no fundo do papelão (que deve ser mais firme), recortado no tamanho da folha branca na qual foi feita a tabela.

Fixe as quatro tampas de garrafa PET no fundo do papelão, conforme consta na imagem.

Na parte superior do papelão, aplique a cola branca em bastão ou outra que se espalhe bem. Nesse caso, utilize um pincel.

Cole no papelão a folha com a tabela que você construiu. Utilize uma caneta hidrocor para deixar a tabela bem marcada.

Com o papelão mais fino, faça quadrados com a mesma medida dos quadrados da tabela (3 cm de cada lado).

O objetivo é que eles fiquem com as mesmas medidas, para se encaixarem nos quadrados da tabela, de acordo com a imagem.

Construa vários quadrados para utilizar no jogo, com setas e outros símbolos. Construa um retângulo para escrever início e outro para escrever fim. Desenhe, pinte e recorte um pequeno robô, sempre com a medida próxima a 3 cm², pois ele vai "navegar" pela tabela.

Organize a tabela e os comandos por meio das setas para fazer o robô sair do início e chegar ao final estabelecido.

Mas, antes, cole com cola quente um pedaço de ímã no verso do robô e outro em dois palitos de churrasco ou similar. O ímã colado no palito deverá ser usado por baixo do tabuleiro, conectado ao ímã do robô, para fazê-lo se movimentar sem o uso das mãos.

Observe que, por meio da sequência estabelecida na lateral direita, você consegue caminhar com o robô.

Ao jogar, você também pode colocar obstáculos no tabuleiro para deixar o jogo mais complexo e mudar a sequência dos comandos na lateral direita.

Ao seguir a sequência, caminhe com o robô utilizando o palito para movimentá-lo.

Faça isso até chegar ao ponto final estabelecido. Jogue com um amigo ou familiar. Divirtam-se!

MOMENTO REFLEXÃO

Você gostou de construir o jogo de tabuleiro? Percebeu que, ao colocar os obstáculos e a sequência a ser percorrida pelo robô para sair do ponto inicial e chegar ao ponto final, você estava programando de maneira desplugada?

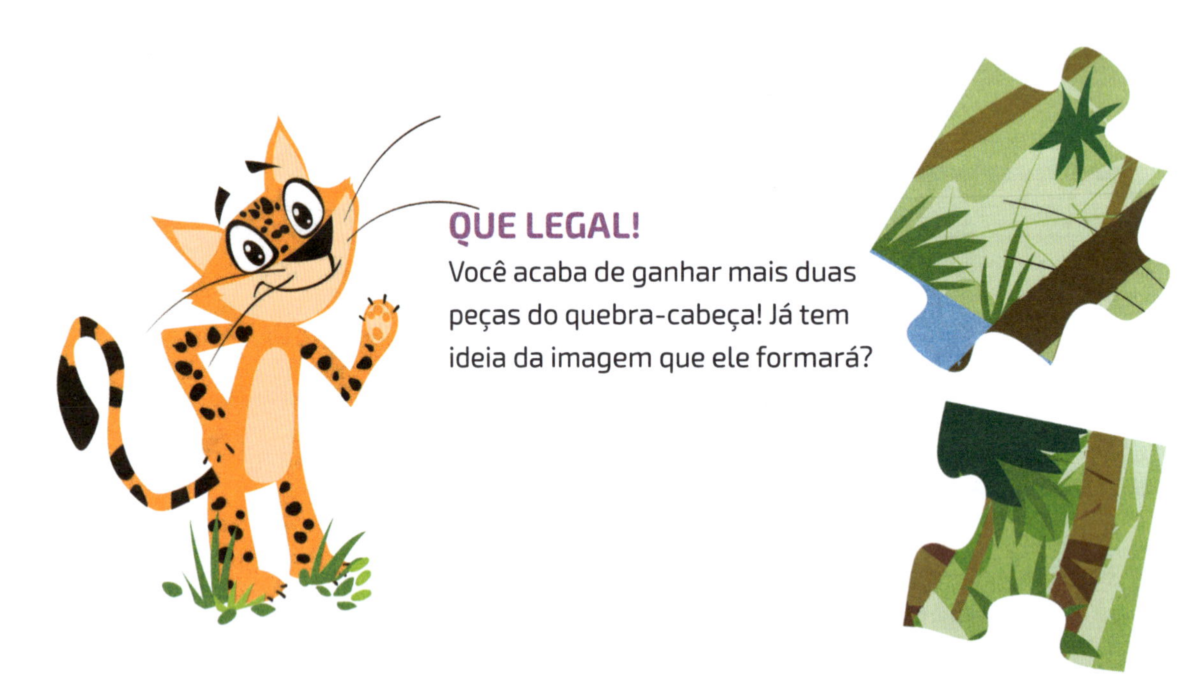

Desde o início do percurso neste micromundo, sua missão é ter ações que envolvam os 5Rs para salvar o hábitat da Xingu, certo? E você está se saindo muito bem nessa missão!

Nosso foco tem sido o aproveitamento do lixo que pode ser reciclado e reutilizado, evitando o descarte incorreto e aprendendo a construir e a criar artefatos incríveis, por meio da robótica e da programação, ao colocar a mão na massa.

Por isso, nossa missão final será a construção de lixeiras inteligentes para reciclagem. Vamos nessa?

LIXEIRA INTELIGENTE COM ARDUINO

Para iniciarmos, vamos compreender primeiro o que é Arduino?

SAIBA MAIS

Arduino é uma placa programável, de baixo custo e acessível a todos, que permite o desenvolvimento de controle de sistemas interativos. Por meio dele, é possível enviar e receber informações de praticamente qualquer outro sistema eletrônico (por exemplo, um sistema de captação de dados de sensores que fornece informações como temperatura, controle de iluminação, etc.), processar e enviar dados a um sistema remoto.

A plataforma é composta, essencialmente, de duas partes: hardware (parte física, como os componentes) e software (sequência de instrução na parte digital). O hardware do Arduino é bastante simples e, ao mesmo tempo, muito eficiente.

Vamos colocar a mão na massa e aprender a trabalhar com o Arduino, construindo uma lixeira inteligente para separar os recicláveis? Você pode criar mais de uma, diferenciando as cores, e fazer a própria separação em casa! Para esse momento, vamos unir programação e robótica.

MOMENTO MÃO NA MASSA: lixeira inteligente com Arduino

PARA O CIRCUITO DE SUA LIXEIRA INTELIGENTE, VOCÊ VAI PRECISAR DOS SEGUINTES MATERIAIS:

1. Arduino UNO;
2. sensor de ultrassom HC-SR04;
3. Micro Servo Motor de 9 g;
4. jumpers;
5. bateria;
6. computador com acesso à internet.

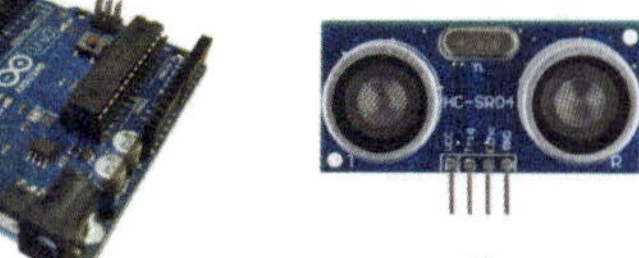

PARA A LIXEIRA, VOCÊ VAI PRECISAR DE:

- caixas de papelão;
- papel colorido para encapar ou tinta guache para pintar a lixeira nas cores de cada elemento reciclável;
- arruela;
- estilete;
- cola quente e refil;
- fita adesiva;
- fio dental.

DICA DE OURO:
Lembre-se das cores de cada elemento reciclável para identificar sua(s) lixeira(s)!

1

Vamos iniciar fazendo as ligações dos sensores ultrassônicos. Comece ligando o pino Trig à saída 5 do Arduino. Observe:

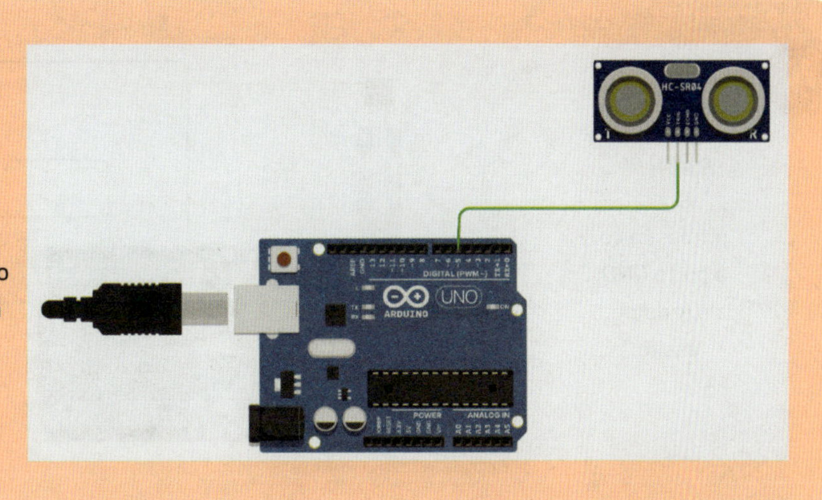

2

Depois, ligue o Echo do Sensor à porta 6 do Arduino. Observe:

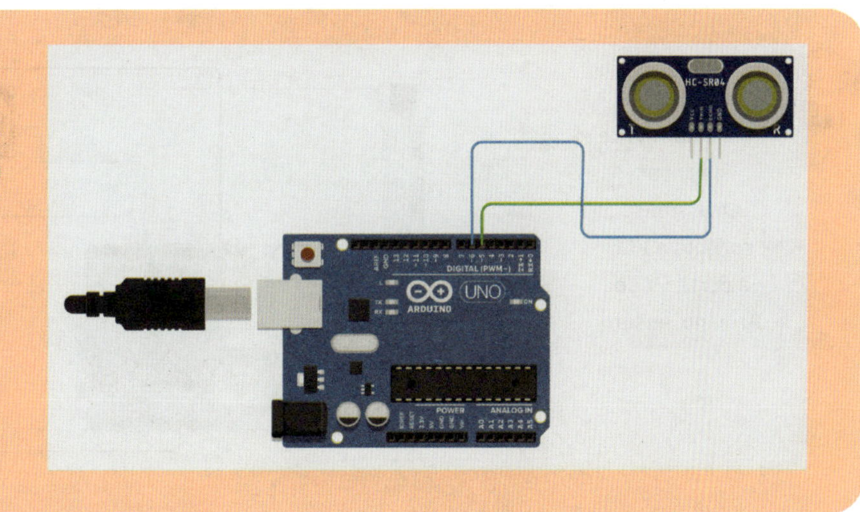

3

Na sequência, conecte o Servo Motor (especificamente o fio amarelo, de comando) à porta 7 do Arduino. Observe:

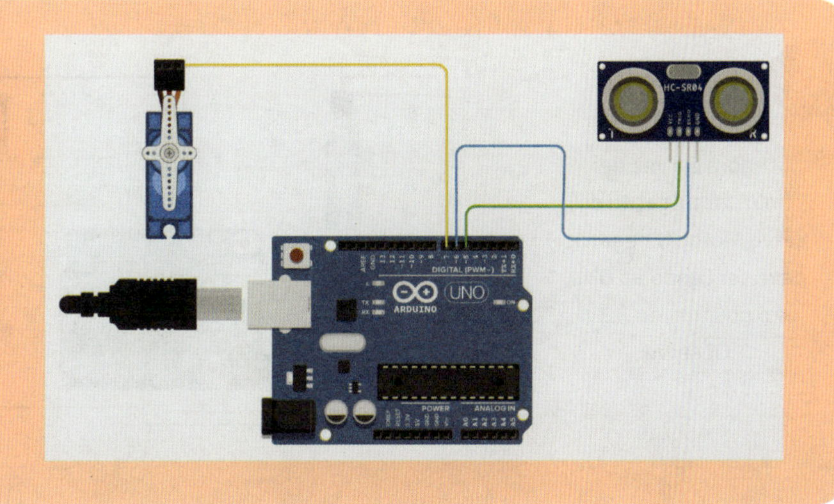

4

Agora, conecte o GND do sensor ultrassônico à porta GND do Arduino, assim:

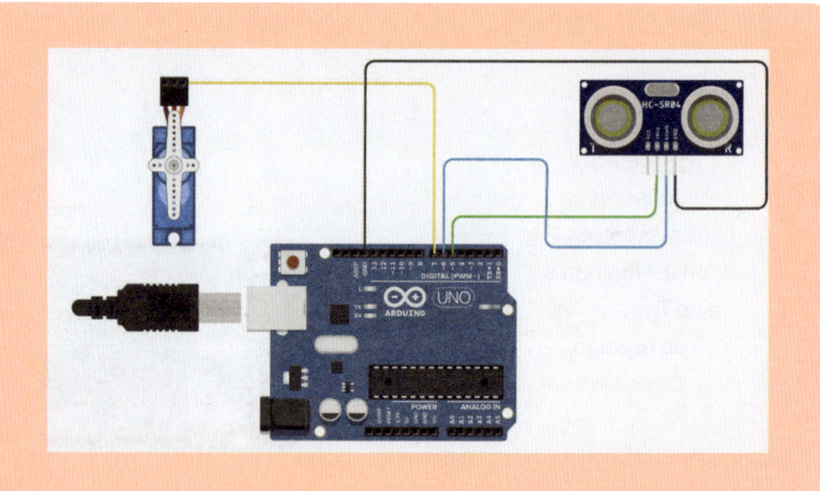

5

Por fim, para ligar totalmente o sensor ultrassônico, conecte o VCC à porta 5V do Arduino, assim:

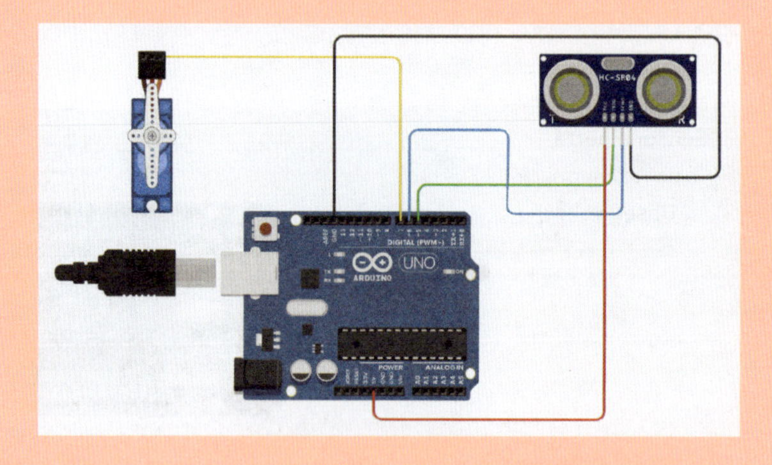

6

Agora é a vez de finalizar a ligação do Servo Motor. O negativo deve ser ligado ao GND, e o positivo, ao 3,3V. Observe:

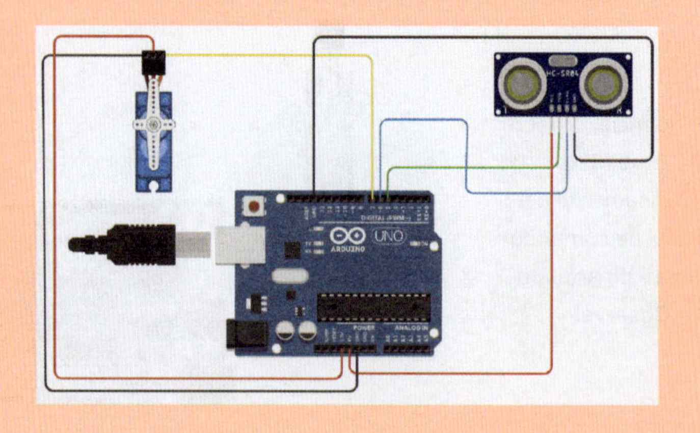

7 Por fim, vamos à bateria. Coloque o positivo dela, representado em vermelho, na porta Vin, e o negativo, representado em preto, no primeiro GND. Assim, conseguiremos a alimentação de energia. As ligações ficarão deste modo:

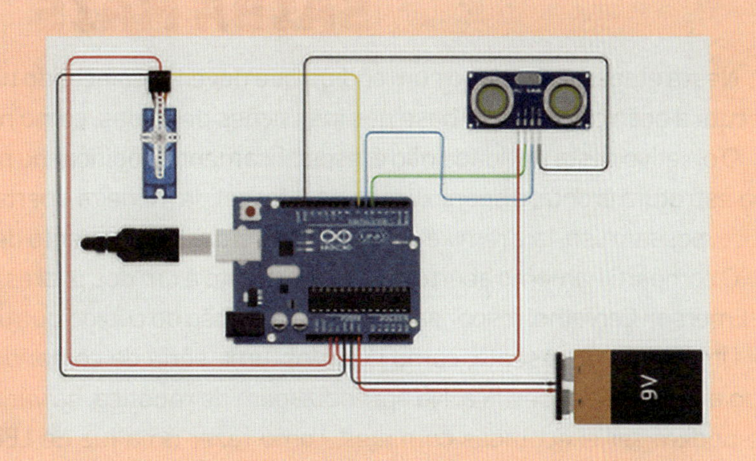

DICA DE OURO:
observe que, nas ilustrações, há uma porta USB à esquerda. Ela pode ser usada para alimentar o hardware com energia; entretanto, em nossa atividade, utilizaremos a bateria como fonte de alimentação, OK? Vamos usar o USB apenas para levar a programação até a placa, direto do computador, mais adiante.

Aponte a câmera do celular para o QR Code e amplie as ilustrações para melhor visualização.

Finalizado o hardware, é hora de subir o código para a placa Arduino e testá-lo – antes mesmo, é claro, de colocá-la na lixeira. Vamos lá?

SAIBA MAIS

Nesta etapa, utilizaremos um código que deverá ser incluído na placa Arduino, de modo que ela execute a ação correta com base nas instruções definidas, como nos jogos criados anteriormente.

O objetivo desta atividade não é, especificamente, codificar ou programar códigos. Vamos utilizar uma estrutura pronta, disponibilizada na internet de maneira aberta, para que outras pessoas, iguais a você, possam usá-la e remixá-la, apenas para dar o movimento de abre e fecha à nossa lixeira.

O compartilhamento aberto do conhecimento é um dos pilares do movimento maker, e o professor Emerson Carvalho, responsável pela elaboração do código que utilizaremos, segue esse princípio.

Um código representa, como já vimos, uma série de comandos que, quando executados, dão início a uma ação específica. Na aprendizagem de robótica, há vários exemplos de pequenas ações que podem ser executadas com eles, como fazer uma luz de LED acender, um robô pequeno se movimentar (e, nesse caso, uma haste girar) e, presa a um barbante, puxar a tampa de uma lixeira eletrônica. O software Arduino IDE é a plataforma que, em geral, utilizamos para a construção do código de modo mais objetivo. A partir dele, enviamos a programação à placa, e, assim, ela pode executar as instruções que definimos.

Como mencionamos, o código que utilizaremos foi compartilhado pelo professor Emerson Carvalho, que elaborou, em seu canal no YouTube, a atividade que estamos remixando aqui. Você poderá acessá-lo pelo QR Code a seguir, que o levará até a plataforma na qual o professor disponibiliza o código, o GitHub, um grande arquivo de códigos prontos. Você só precisará acessar LixeiraInteligente.ino e clicar em Raw para copiar o código em texto e colocá-lo em seu Arduino. Copie tudo! O código é disponibilizado no formato a seguir:

Fonte: https://github.com/pontocomdev/Lixeira_Inteligente/blob/master/LixeiraInteligente.ino

Agora, vamos subir o código para nossa placa. Para isso, utilizaremos o software Arduino IDE, responsável por enviar códigos para a placa física. Você deverá baixá-lo acessando este link: https://www.arduino.cc/en/software/. Se a página estiver em inglês, basta traduzir para o português, na parte superior.

Ao abri-lo, você encontrará uma tela para colar o código. Depois de deixá-la totalmente em branco, cole o que copiou. A tela ficará assim:

Para enviar o código copiado para a placa, agora, sim, precisaremos do USB. Conecte-o ao Arduino e ao seu computador. Depois, clique na seta que indicamos e pronto: seu código já foi enviado para o hardware! Depois de subi-lo, faça um teste e veja se o Servo Motor está se mexendo. Se sim, está tudo certo, e podemos seguir para a próxima etapa!

Vamos à parte física da lixeira? Escolha uma caixa de papelão mais alta, para que a lixeira não fique tão pequena.

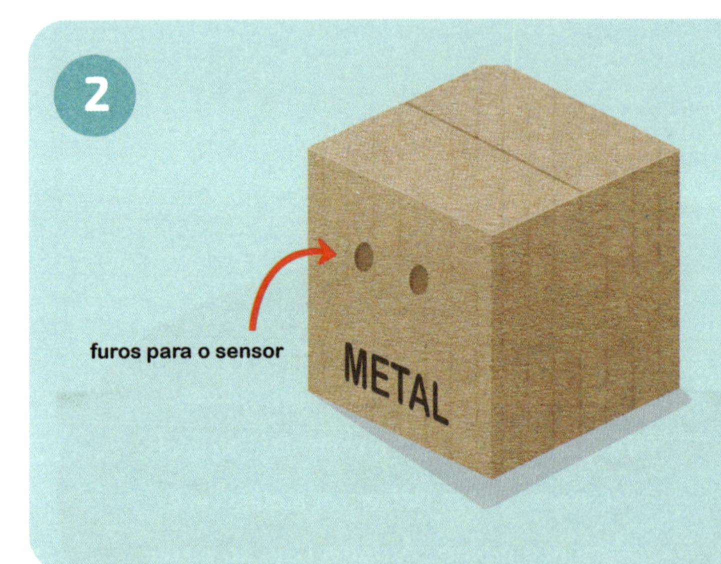

Encape a lixeira ou pinte o papelão com tinta guache. Pinte-o nas cores que aprendemos juntos antes. Se desejar, recolha várias caixas e prepare as outras lixeiras! Se preferir, escreva na frente dela o nome do material reciclável correspondente. Depois, recorte dois círculos de acordo com o tamanho e a circunferência do sensor de ultrassom HC-SR04 e encaixe-os na caixa, como se fossem dois olhinhos, como consta nesta imagem.

Com um estilete, retire as duas abas da tampa da caixa, para que possamos colar um novo pedaço de papelão, que será a tampa da lixeira. Para isso, recorte um pedaço de papelão do tamanho da tampa inteira da caixa. Depois, com o estilete, faça um pequeno corte na metade dessa tampa, sem a separar em duas partes, para que haja um movimento de abre e fecha, com uma parte fixa e outra móvel. Se cortá-la sem querer, use uma fita adesiva para colar as duas metades!
Em seguida, cole a parte traseira dele, a que ficará fixa, a fim de que haja mobilidade no restante da tampa. Use cola quente!

4

Depois dos testes e das configurações do Micro Servo, passe cola quente nele e cole-o na parte fixa da tampa, bem próximo à parte que se movimenta.

5

Passe o fio dental por dentro da arruela e amarre. Essa arruela será responsável por puxar a tampa e abri-la.

6

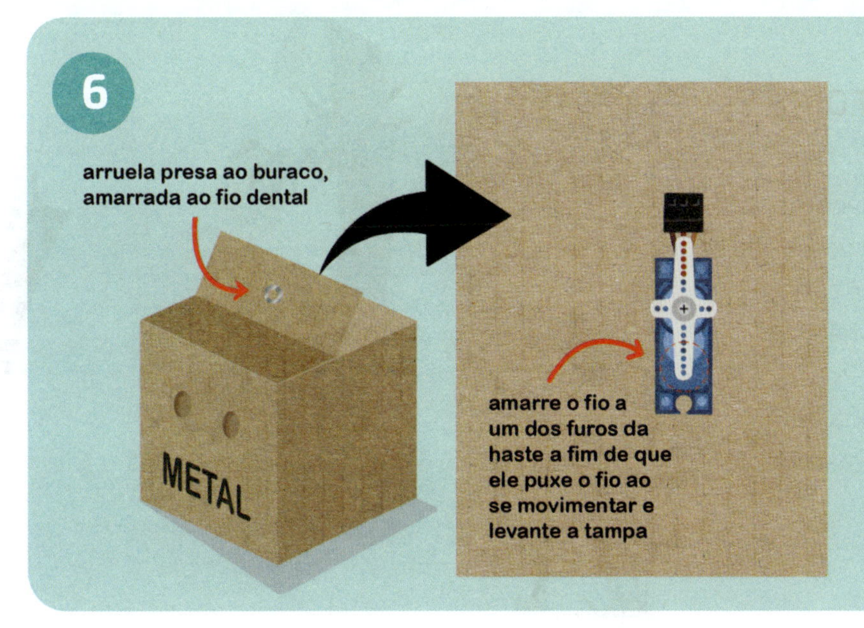

Abra um buraco no centro da tampa móvel e passe o fio dental por ela. Deixe a arruela na parte interna, presa ao pequeno furo por onde passará o fio; assim, quando o motor se movimentar, a tampa será puxada.
A outra ponta do fio dental deverá ser enroscada na haste do Servo Motor, logo no primeiro furo. Amarre bem e corte o excesso.

Para passar os fios do Servo Motor, faça um furo exatamente na divisa entre a parte fixa e a móvel da tampa da lixeira. Passe os fios e, depois, cole o Arduino na parte interna da lixeira. Lembre-se de encaixar o sensor nos furos que você fez e prenda o Arduino bem próximo a ele, na parede da caixa.

Parabéns! Sua lixeira está pronta! Ao passar o objeto na frente do sensor, a tampa da lixeira se abrirá, e você poderá jogar o lixo! Legal, não é? Se quiser, tente usar mais hardwares e fazer as variações da lixeira com as cores dos diferentes produtos recicláveis!

Esse é um projeto inicial de lixeira inteligente com o uso do Arduino. Por isso, você pode e deve, por meio dos aprendizados, pensar em inovações para ele e remixá-lo. Além disso, esse é um projeto bem bacana, que pode ajudar pessoas com deficiência ou limitação física!

MOMENTO REFLEXÃO

Como foi construir a lixeira inteligente? Você achou fácil trabalhar com o Arduino? O que aprendeu após a construção do artefato?

ESSA CONSTRUÇÃO FOI FANTÁSTICA, HEIN?

Além de poder evoluir na invenção e na criatividade, construindo novos projetos de lixeiras inteligentes, você contribuiu com a preservação do meu hábitat.

Por isso, você acaba de ganhar as três últimas peças do quebra-cabeça! Agora está fácil, não!?

FIM DA MISSÃO

Durante todo o projeto, conforme você avançou nas missões com a robótica e a programação, além das ações realizadas para preservar o hábitat da Xingu, você ganhou peças do quebra-cabeça. Vamos montá-lo?

TCHAU! VEJO VOCÊ NA MATA ATLÂNTICA!

Espero que você tenha gostado das nossas aventuras com robótica e programação e que esse seja apenas o pontapé inicial para várias outras criações, invenções e descobertas!

Agora, você está convidado a revisitar suas construções e seus artefatos e a avançar contribuindo para um mundo sustentável.

DÉBORA GAROFALO

Sou formada em letras e pedagogia, mestra em linguística aplicada, professora da rede pública de ensino de São Paulo e autora. Desde pequena sempre gostei de dar novos significados às coisas que seriam descartadas e compreender como elas funcionavam por dentro. Assim, uni minhas paixões: lecionar, leitura, tecnologia e inovação, aliadas a ações sustentáveis em prol do nosso meio ambiente.

Como professora, conheci muitas histórias e pude, com elas, idealizar o trabalho de robótica com sucata, que sustenta as obras, além de ser uma política pública brasileira e uma metodologia de ensino, eternizada nesta coleção de diferentes formas.

Ao longo da minha carreira, recebi importantes prêmios nacionais e internacionais e no ano de 2019 fui a primeira mulher brasileira e a primeira sul-americana a chegar à final do Global Teacher Prize e ser laureada como uma das dez melhores professoras do mundo. As experiências desta coleção foram testadas em sala de aula, para que você possa ser um(a) fazedor(a) e um(a) ativista ambiental.